Oublier
la Révolution tranquille

Gilles Paquet

Oublier
la Révolution tranquille

Pour une nouvelle socialité

Liber

Les éditions Liber reçoivent des subventions du Conseil des arts du Canada, de la SODEC et du ministère du Patrimoine canadien (PADIE).

Photo de la couverture: Réjean Meloche, Démolition de l'église Saint-Henri, août 1969.

Éditions Liber, C. P. 1475, succursale B, Montréal, Québec, H3B 3L2, téléphone: (514) 522-3227, télécopieur: (514) 522-2007, courriel: edliber@cam.org

Distribution (au Canada), Diffusion Dimedia, 539, boul. Lebeau, Saint-Laurent, Québec, H4N 1S2, téléphone: (514) 336-3941, télécopieur: (514) 331-3916

Distribution (en Europe), Diffusion de l'édition québécoise, 30, rue Gay-Lussac, 75005 Paris, téléphone: 01 43 54 49 02, télécopieur: 01 43 54 39 15, courriel: liquebec@cybercable.fr

Dépôt légal: 2e trimestre 1999
Bibliothèque nationale du Québec

AVANT-PROPOS

La réflexion consignée dans cet essai formule l'hypothèse selon laquelle la Révolution tranquille, en tant que grandes manœuvres d'invasion par l'État de la vie des Québécois, a mis en place un processus de décapitalisation sociale, d'érosion du soubassement social (famille, Église, communauté), qui a eu des effets néfastes sur la croissance économique du Québec, son niveau de bien-être et son progrès. Cette hypothèse permet, nous semble-t-il, d'expliquer certains paradoxes de la socio-économie québécoise et de mettre en lumière quelques défis auxquels elle est confrontée aujourd'hui.

Il se pourrait bien en effet que la Révolution tranquille ait constitué de bien des manières un pas en arrière dans l'histoire du Québec. Certes, on ne pourra pas ici explorer en détail toutes les questions que cette hypothèse soulève, pas plus d'ailleurs qu'élucider les mécanismes bizarres par lesquels la conviction inverse — à savoir que le Québec se serait « modernisé » dans les années soixante, séparation des eaux entre la « grande noirceur » et « le grand saut en avant » — s'est accréditée comme cosmologie dominante. Il faudra des recherches plus approfondies pour bien comprendre l'émergence des interprétations canoniques et leur impact structurant sur le politique au Québec, pour repenser l'expérience québécoise à la lumière de l'interprétation générale proposée ici, et pour mettre en place l'outillage mental nécessaire pour réexaminer la question de l'identité québécoise moderne.

Cet essai n'est donc qu'un propos d'étape. Son ambition première est de dénoncer une double trahison des clercs (fédéralistes progressistes et souverainistes) et de favoriser autant que possible le processus de déconstruction de la cosmologie dominante et, parallèlement, le processus de construction d'une cosmologie de rechange.

De nombreuses recherches en cours explorent déjà ces nouvelles pistes. Les pages qui suivent s'en font l'écho. On me permettra cependant de remercier plus particulièrement ceux avec qui j'ai débattu personnellement de ces questions au cours des dernières années, de Jean-Pierre Wallot, le plus vieux, à Linda Cardinal et Paul Laurent, les plus jeunes. De ces collègues, j'ai appris plus que je ne saurais dire. Il me faut donc les associer explicitement à mon entreprise en les forçant à prendre une certaine responsabilité pour ses forces mais aussi pour ses faiblesses.

Plusieurs parties du texte ont d'abord été des conférences : au Musée de la civilisation de Québec à l'automne de 1993 ; à un colloque de la Société royale du Canada organisé par Patrice Garant en novembre 1995 ; à un colloque organisé par Bogumil Jewsiewicki et Jocelyn Létourneau à l'université Laval en 1995 ; à un colloque sur le mouvement Desjardins, organisé par Benoît Lévesque à l'université du Québec à Montréal en mars 1996 ; à un colloque sur Duplessis, organisé par Alain Gagnon et Michel Sarra-Bournet à l'université McGill en mai 1996 ; au congrès annuel de l'Association des économistes québécois organisé par Serge Coulombe également en mai 1996 ; devant le groupe Cité libre en juin 1996 — exposé publié dans *L'Agora* en janvier 1997 par les soins de Jacques Dufresne, que je voudrais remercier avec une chaleur particulière.

Je remercie Brigitte Côté, Raymonde Létourneau, Marie Saumure et Dominique Saint-Arnaud pour leur assistance technique au cours des diverses étapes de mes travaux, ainsi que le Conseil de recherches en sciences humaines du Canada pour son soutien financier. Je voudrais enfin exprimer ma gratitude à Giovanni Calabrese pour sa lecture critique et ses multiples suggestions pour resserrer le texte. Le lecteur m'en voudra probablement de ne pas avoir toujours suivi ses conseils.

CHAPITRE I
Une histoire manichéenne

Nous avons mal regardé
Nous avons mal écouté
GILLES VIGNEAULT

La Révolution tranquille reste la césure incontournable dans toutes les discussions sur le Québec contemporain. Elle connote un ensemble complexe de modifications dans la trame de la société et dans sa gouvernance (c'est à dire dans son système de pilotage) qui auraient transformé une société conservatrice, dominée par le clergé et relativement arriérée, en une société moderne et intensément entrepreneuriale par le truchement d'une action élargie de l'État. Avant 1960, c'était « la grande noirceur », après, c'est la modernité triomphante.

Poètes, observateurs et mythocrates, d'ici ou d'ailleurs, font presque l'unanimité sur cette référence. Or l'historiographie des vingt-cinq dernières années force à réviser cette image d'Épinal. Elle suggère que la société québécoise d'avant 1960 n'était pas aussi retardée et illibérale qu'on l'a dit, que l'esprit d'entreprise et la modernité étaient là bien avant cette date, et que les bouleversements de la Révolution tranquille ont peut-être eu des coûts plus élevés qu'on ne l'avait d'abord pensé.

De là à laisser entendre qu'il se pourrait que les dénonciations qu'on a faites du duplessisme aient été excessives et que la complaisance qu'on continue d'avoir pour les réformes ultérieures soit coupable, il n'y a qu'un pas que je voudrais franchir. Mais qu'on me comprenne bien : il ne s'agit pas de célébrer le duplessisme ni d'en occulter les côtés sombres et sordides, les excès, les abus et les scandales. Il s'agit tout au plus de rappeler que les mêmes excès ont existé dans l'Ontario de Leslie Frost, par exemple, et de remettre en question le simplisme manichéen d'une vision en noir et blanc de l'avant et de l'après 1960. Ni une image démonisée de l'avant ni une version nickelée de la Révolution tranquille et de ses conséquences ne paraissent raisonnables. Si l'on ne peut se contenter de dénoncer le régime Duplessis et de célébrer le régime Lesage, peut-on avancer une interprétation de rechange de l'expérience du Québec contemporain ?

Partons de trois observations. D'abord, il faut noter le sentier parallèle de croissance économique du Québec et de l'Ontario de 1870 à 1960, moment où celui du Québec commence à laisser se creuser un écart négatif de plus en plus grand par rapport à l'économie ontarienne. On a tout autant de difficulté à retrouver dans ces chroniques statistiques l'impact négatif du régime duplessiste qu'à repérer un effet dynamisant de la Révolution tranquille.

Deuxièmement, l'histoire économique de l'entrepreneurship québécois depuis le début du dix-neuvième siècle ne nous donne pas l'image d'un peuple conservateur, dominé et inapte à la modernité ou à l'industrialisation. Tout au contraire. Par exemple, dans le rapport qu'il fait de ses voyages à travers l'Amérique du Nord au début du siècle dernier, John Lambert observe que les Canadiens français sont déjà bien adaptés au nouveau monde du capitalisme commercial. « Ils aiment l'argent, écrit-il, et sont rarement du mauvais côté d'un échange [1]. » En fait, quiconque consulte les archives nationales pourra trouver un matériau riche montrant que ce qui a marqué l'histoire du Québec, c'est peut-être bien davantage,

---

1. J. Lambert, *Travels Through Lower Canada... in the Years 1806, 1807 & 1808*, 3 vol., Londres, R. Philips, 1810.

«un excès d'esprit d'entreprise et d'aventure[2]», comme le suggérait Pierre Harvey, l'ancien directeur de l'École des hautes études commerciales de Montréal. Sur le terrain, dans des conditions souvent impossibles, les Québécois ont fait des prouesses économiques. Ils ont créé une multitude de petites entreprises, de nombreuses banques et d'importants complexes industriels, même s'ils ne pouvaient pas compter sur le puissant réseau d'influences des marchands anglais et écossais du Saint-Laurent. Le chromo misérabiliste du Québec souffrant d'un conservatisme chronique avant la Révolution tranquille ne résiste donc pas à un examen des archives.

Troisièmement, et c'est sans doute moins probant parce que plus personnel, mon expérience des années cinquante «au pied de la pente douce», à Québec, ne confirme en rien les fables qu'on a construites sur un régime politico-religieux de terreur, sur l'hégémonie de l'Église et sur notre intelligentsia ankylosée. Dans mon quartier, à quelques rues de chez Roger Lemelin, on n'avait pas une enfance à l'eau bénite. On savait ironiser et faire du lèse-majesté bien avant de pouvoir épeler ces mots. Il y avait dans la rue une pleine mesure de récrimination créatrice et beaucoup de critique sociale: le Québec était une société moderne en acte. D'ailleurs, la preuve de la vivacité de la société civile québécoise des années cinquante n'est plus à faire. *Le Haut-Parleur/L'Autorité, Cité libre, Vrai, Le Devoir* — publications dont on n'a plus l'équivalent aujourd'hui même si certaines ont survécu tout au moins nominalement — dénonçaient à tous les détours les manœuvres douteuses de nos gouvernements et défendaient les valeurs libérales modernes.

Ce qui ressort de ce bric-à-brac de données, d'archives et de souvenirs, c'est qu'on ne vivait pas, avant 1960, dans un monde d'oppression, de conservatisme paralysant et d'illibéralisme, mais dans un monde qui ressemblait beaucoup à ce qu'on observait ailleurs au Canada. Certes, le niveau de vie était plus faible que maintenant, mais c'était quand même une

---

2. Préface à J.-M. Toulouse, *L'entrepreneurship au Québec*, Montréal, Presses des HEC et Fides, 1979.

société libérale où l'entreprenariat économique, politique et social trouvait moyen de s'exprimer.

Évidemment, au Québec comme ailleurs, le patronage était pratique courante. Duplessis au Québec et Frost en Ontario, comme tous leurs prédécesseurs depuis le dix-neuvième siècle, étaient alliés au pouvoir économique, aux élites locales. Dans certains cas, ces alliances (saintes ou non) ont conduit à un dynamisme de conservation des groupes d'intérêt qui a retardé le changement social. Mais dans bien d'autres cas, elles ont fondé des partenariats qui l'ont accéléré. Il y a eu bien sûr de gros accidents de parcours, un à-plat-ventrisme navrant des clercs (religieux et laïques), mais ni plus ni moins qu'ailleurs.

Comment a-t-on pu gommer tout cet aspect positif de l'avant Révolution tranquille? Et pourquoi? Mon explication voudrait débusquer une étrange conspiration de nos élites: une fixation bizarre sur certaines vignettes extrêmement schématiques de quelques communautés locales dans les années trente et quarante qui vont devenir, par l'opération d'intelligentsias peu scrupuleuses, une portion du bagage intellectuel accepté inconditionnellement au Canada anglais et au Canada français dans les années cinquante.

Ces chromos simplistes ont été tracés à partir des observations très pointues de deux petites communautés par deux sociologues américains: Saint-Denis-de-Kamouraska par Horace Miner, dans les années trente, et Drummondville par Everett C. Hughes, dans les années quarante. Deux historiens du Canada anglais, Donald Creighton et Arthur Lower, ont ensuite généralisé le diagnostic à l'ensemble du Québec français d'avant 1960 et propagé l'image d'un Canada à deux vitesses. Arthur Lower présente une image manichéenne du Canada des années quarante. Ce serait l'ensemble composite de deux genres de vie: l'un « médiéval, rural, catholique », au Canada français, l'autre « tumultueux, affairé, calviniste », au Canada anglais [3].

---

3. H. Miner, *St. Denis: A French-Canadian Parish*, Chicago, University of Chicago Press, 1935 ; E. C. Hughes, *French Canada in Transition*, Chicago,

Le plus surprenant, c'est la facilité avec laquelle un grand nombre de sociologues québécois (Marcel Rioux, Hubert Guindon, etc.), et même Pierre Elliott Trudeau dans son livre sur la grève de l'amiante en 1956, ont accepté *holus bolus* ce diagnostic. Les aspects traditionnels et conservateurs du genre de vie québécois ont dès lors été colportés partout comme image exacte du Canada français. Toute une génération d'historiens et de spécialistes de sciences humaines au Canada avaleront cette couleuvre et répéteront sans une once de critique le diagnostic de Miner et Hughes. Cette couleuvre, on ne va pas l'avaler en toute innocence. La démonisation du passé servira fort bien ceux qui voudront célébrer l'expérience de l'après 1960.

La dénonciation de l'ordre traditionnel convenait d'abord parfaitement aux progressistes (parmi lesquels je compte les citélibristes de la première heure) qui voulaient que le progrès social s'accomplisse plus vite. Pour eux, il était rassurant de pouvoir faire de l'attachement aux valeurs traditionnelles la cause du retard économique et social. Cela permettait de défendre le dirigisme d'État, qui allait bientôt commander l'accélération du changement et promettre de faire sauter le carcan traditionnel au plus vite. Leur programme a donc surtout consisté à assurer par toutes sortes de mesures un effet de cliquet, à mettre des taquets qui empêcheraient que les Québécois ne retombent dans leurs anciens errements. C'est le sens qu'on peut donner à la stratégie fédéraliste qui a abouti à la charte des droits de 1982 et à un certain habitus centralisateur fédéral qui perdure.

Mais la caricature convenait aussi aux nationalistes qui, frustrés par la lenteur de la progression vers la souveraineté, voulaient l'imputer à l'hypothèque de la tradition et de ses élites. Le rôle magnifié de l'État québécois allait constituer le premier pas vers l'émancipation par la souveraineté. Pour eux,

---

University of Chicago Press, 1943 ; D. Creighton, *The Commercial Empire of the St. Lawrence*, Toronto, Ryerson Press, 1937 ; A. R. M. Lower, « Two Ways of Life : The Primary Antithesis of Canadian History », *Canadian Historical Association Annual Report*, 1943, p. 5-18.

le sombre passé sera un contrepoint utile pour bien faire voir l'importance de ne plus jamais revenir au *status quo ante*.

On s'est donc entendu de part et d'autre pour établir un constat délibérément noir de l'avant afin de mieux arc-bouter sa stratégie. Personne n'aura intérêt à scruter le passé à la recherche de points de force, non plus qu'à chercher les dérapages dans l'expérience d'après 1960.

Or, à cet égard, il y a eu des erreurs et sur les faits et sur la théorie. En ce qui concerne les faits, l'histoire économique et sociale du Québec des vingt-cinq dernières années a versé au dossier suffisamment de données nouvelles, de renseignements additionnels et de monographies inédites pour remettre à leur juste place les observations pointues de Miner et Hughes, c'est-à-dire aux marges de la réalité. Le chromo qu'ils ont construit du Québec apparaît comme bien trop grossier pour ambitionner d'être la représentation universelle du genre du vie du Québec dans son ensemble. Seules une dose massive de dissonance cognitive et la très grande utilité idéologique de ce diagnostic peuvent expliquer qu'il perdure, même quand une masse documentaire immense le conteste[4].

Pour ce qui est de l'incapacité à apprécier la contribution de l'ordre institutionnel traditionnel dans l'explication de la bonne performance de croissance économique avant 1960, elle provient du défaut de prendre en compte une riche littérature spécialisée sur le développement économique. En effet, on sait depuis longtemps que la vitesse et le succès du développement économique dépendent de la richesse du soubassement socio-culturel sur lequel l'économie est construite[5]. Voilà pourtant

---

4. G. Paquet et J.-P. Wallot, *Le Bas-Canada au tournant du 19ᵉ siècle: restructuration et modernisation*, Ottawa, Société historique du Canada, brochure nº 45, 1988; G. Paquet, «Développement économique», dans J. Rouillard (dir.), *Guide d'histoire du Québec*, Montréal, Méridien, 1991, p. 161-176 (2ᵉ éd. 1993, p. 147-161).

5. L'enseignement des sciences humaines est pourtant clair. Pour s'en tenir aux travaux importants dans le seul passé récent, mentionnons ceux du sociologue américain Edward Banfield (*The Moral Basis of a Backward Society*, New York, Free Press, 1958) et ceux du politologue Robert Putnam (*Making Democracy Work: Civic Traditions in Modern Italy*, Princeton,

ce dont fédéralistes progressistes et souverainistes n'ont ni pu ni voulu comprendre la pleine signification. De là leur accord tacite sur une fausse représentation de l'ordre institutionnel traditionnel au Québec comme empêchement au progrès, comme source de retard économique et social pour les Québécois. De là aussi leur conviction commune qu'une liquidation rapide des institutions traditionnelles constituait la voie royale vers la modernité et la forte croissance économique.

Or, si les spécialistes en développement économique ont raison, il se pourrait que la riche trame d'institutions traditionnelles (famille, religion, communauté) ait été la sorte de capital social qui a bien servi les Québécois ainsi qu'une source importante de la forte croissance économique avant 1960.

Une meilleure appréciation de l'importance du capital communautaire comme soubassement de l'appareil économique pourrait donc aider à résoudre les paradoxes que nous avons soulevés. Il est en effet possible que ce soubassement ait contribué de manière importante à la croissance économique dans la période Duplessis et que l'érosion et la dilapidation du capital communautaire perpétrées par la Révolution tranquille aient eu un impact négatif sur la croissance économique en affaiblissant les communautés d'action et de signification dans l'ordre politique, économique et social québécois.

Pour étayer cette hypothèse, je voudrais faire quelques remarques, deux sur l'avant Révolution tranquille, deux sur l'après. D'abord, il y a eu une lecture faussée de la réalité économique québécoise par la majorité des observateurs des

---

Princeton University Press, 1993). Tous deux (mais il y en a beaucoup d'autres qui ont défendu la même thèse depuis Adam Smith) ont confirmé les propositions des spécialistes du développement économique par des travaux extensifs sur le terrain en Italie. Leurs études du développement économique de la péninsule au long de décennies ont montré que les sous-régions du Nord, qui ont un réservoir de capital social élevé (un riche réseau de comportement associatif, des normes et valeurs communes, un fort degré de confiance interpersonnelle, beaucoup de convivialité, etc.), ont été capables de progresser beaucoup plus vite économiquement que les sous-régions du Sud, qui n'ont pas un capital social comparable et qui ont stagné économiquement.

années cinquante, Pierre Elliott Trudeau en tête : ils ont méprisé tout l'appareil des institutions traditionnelles. Pour eux, la croissance économique passe forcément par les grandes entreprises. Or, comme il n'y en a pas beaucoup dans l'arsenal économique des Québécois français d'avant 1960, on a vite conclu que la croissance économique n'était pas au rendez-vous. Ce faisant, on a négligé la vie économique de la petite et moyenne entreprise qui grouille au ras du sol.

Ensuite, on a systématiquement ignoré à quel point ces petites et moyennes entreprises ont été construites sur les réseaux régionaux et locaux enracinés dans la famille, la communauté ou les paroisses. On a également ignoré la place que l'État modeste et libéral, dans l'ère Duplessis, a laissée à la société civile (rappelons le rôle important des mouvements coopératifs) et son association avec le monde des affaires, surtout quand il s'est agi d'entreprises québécoises en régions excentriques. Si on a dénoncé, avec raison, les excès auxquels ces rapports parfois incestueux ont pu donner lieu, on n'a pas reconnu le caractère créateur de la collaboration gouvernement-entreprises. D'autres, tout en admettant l'importance de la jonction entre le gouvernement Duplessis et le monde des affaires québécois, l'ont considérablement sous-estimée, surtout pour le capital francophone en région. Ce capital excentrique et financièrement vulnérable est systématiquement déconsidéré par rapport au grand capital : dans la sociographie traditionnelle, il a souvent suffi de dire que les entreprises québécoises sont de taille inférieure à celles qui existent ailleurs, ou qu'elles sont en région, pour les disqualifier.

En ce qui concerne maintenant l'après Révolution tranquille, notons pour commencer que, même s'il n'existe pas de relevés d'enquêtes longitudinales qui permettraient de suivre l'évolution des valeurs, du degré de confiance interpersonnelle, ou le changement dans le comportement associatif des Québécois francophones avant et après la Révolution tranquille, il est néanmoins possible, pour le passé plus récent, de mesurer l'évolution du degré de confiance et du capital social dans le temps à partir des bribes de données statistiques fournies par les World Values Surveys. Ces enquêtes cherchent à mesurer, dans les diverses nations et régions subnationales du globe, le degré de confiance qu'on a dans ses concitoyens, le degré de participation aux diverses associations, etc. Ces données, qui n'existent que pour le dernier quart de siècle, sont visqueuses et les conclusions qu'on peut en tirer mal assurées. Il est donc nécessaire d'être très prudent dans l'interprétation de ces résultats. Mais il semble clair qu'il y aurait eu, aux États-Unis par exemple, tendance à l'érosion tant dans le niveau de confiance que dans le tissu associatif.

Quant à savoir si c'est le cas au Canada ou au Québec, les données comparables manquent pour l'affirmer catégoriquement. Ce qu'on peut dire cependant, à partir des données disponibles, c'est, premièrement, que le niveau de confiance a été et demeure plus haut au Canada qu'aux États-Unis, et que, deuxièmement, l'écart entre les deux pays était plus grand en 1981 qu'en 1990 ; ce qui suggère, troisièmement, que le déclin du coefficient de confiance a été encore plus abrupt au Canada qu'aux États-Unis au cours des dernières décennies ; enfin, quatrièmement, que le déclin du degré de confiance et du comportement associatif semble avoir été plus rapide au Canada français que dans le reste du Canada au cours de cette période. Voilà qui expliquerait une performance économique qui s'est relativement détériorée dans les dernières décennies.

Dernière remarque, il faut bien noter le décalage entre l'immense succès du mouvement coopératif dans l'avant Révolution tranquille et les difficultés qu'ont connues le mouvement Desjardins, Québec inc. et la stratégie des grappes industrielles du ministre Gérald Tremblay dans les décennies récentes. On peut conclure que ce serait compatible avec l'hypothèse de l'érosion de la capacité à collaborer et à coopérer, donc d'un déclin du capital social au Québec.

Tout cela est hypothèse, dira-t-on. Peut-être, mais elle n'est pas sans fondements. Il se pourrait bien que la Révolution tranquille, dans ses efforts pour faire la coupe à blanc dans les institutions traditionnelles et pour les remplacer par des institutions d'État, ait contribué à réduire le niveau de capital social. On pourrait ainsi expliquer à la fois le ralentissement économique dans l'après Révolution tranquille et les raisons pour lesquelles notre sentier de croissance économique ne manquait pas de lustre auparavant.

De là la question : et si la Révolution tranquille n'avait pas eu lieu ? Et si Paul Sauvé, arrivé au pouvoir après la mort de Duplessis, n'était pas mort aussi vite et si l'orgie de centralisation administrative choisie par le gouvernement Lesage, dénoncée par Daniel Johnson (père), avait été modulée ? Et si l'État ne s'était pas substitué abruptement à la société civile dans tant de secteurs et n'avait pas engendré une érosion massive du capital social communautaire québécois, c'est-à-dire une perte de confiance dans la capacité des systèmes traditionnels à fournir les services requis ? Bref, est-ce que le progrès socioéconomique du Québec aurait procédé plus rapidement s'il n'y avait pas eu de Révolution tranquille ?

CHAPITRE 2

Les grandes étapes
de l'économie québécoise

> L'expérience économique d'une
> nation [...] un vécu où la mémoire
> choisit pour en tirer un projet.
>
> FRANÇOIS PERROUX

On considère à tort les économistes comme des spécialistes de la civilisation matérielle. En fait, leurs ambitions ne sont ni si modestes ni si grandioses. Comme les historiens et les géographes, qui ont déclaré le temps et l'espace leur domaine légitime, les économistes voient grand. Ils considèrent de leur ressort l'étude de toutes les organisations et institutions humaines qui gouvernent le processus d'allocation des ressources matérielles, financières, symboliques, etc. Mais leur fixation sur les arrangements organisationnels et institutionnels de grande portée leur fait souvent occulter des pans entiers de la civilisation matérielle concrète.

C'est que les économistes ont tendance à oublier la maxime d'Édouard Montpetit, le titulaire de la première chaire d'enseignement économique au Canada français, à savoir que « l'économie politique s'apprend dans la rue ». Cela les amène à négliger le vécu, qu'ils laissent volontiers aux anthropologues et ethnographes, mais aussi à un tout petit nombre d'économistes historiens pour qui, au contraire, tout commence là.

Comment expliquer cet aveuglement? Peut-être que les économistes, comme Georges Braque, ne croient pas aux choses mais seulement aux relations entre elles.

Nous nous demanderons pourquoi, comment et avec quelle souplesse le processus économique du Québec et ses « circonstances socioculturelles » ont eu tendance à se réinstituer dans l'espace et le temps. Ce processus peut être exploré dans plusieurs registres, comme le suggérait Fernand Braudel : au niveau de la vie matérielle, au quotidien, analysable au microscope ; au plan de la méso-économie de marché, au cœur de l'expérience économique nationale ; et au sein du système mondial hiérarchisé [1].

La chronique raisonnée de la socioéconomie québécoise que nous proposons pourra choquer par son équarrissage, mais nous ne pouvons explorer ici tous ces registres. Nous fixerons donc notre attention sur la méso-économie, le registre des réseaux qui tissent la trame de l'expérience québécoise. Avant d'y arriver, nous voudrions rapidement tracer les contours d'un cadre conceptuel assez simple pour guider nos travaux.

Nous utilisons une notion d'économie empruntée à Karl Polanyi, mais qui pourrait tout aussi bien être tirée des travaux de Douglass North, un Nobel récent d'économie. Pour les économistes institutionnalistes, une socioéconomie est *un processus institué encastré dans un cadre socioculturel*. Examinons cette définition en trois morceaux.

Une socioéconomie concrète est avant tout un *processus*, c'est-à-dire une réalité en mouvement (*on going concern*), des nœuds de transactions entre agents socioéconomiques traduisant et arbitrant les décisions de production, d'échange, de distribution et de consommation. Ce processus n'aurait ni stabilité ni unité sans les *institutions*, sortes de règles du jeu qui orchestrent et coordonnent ces activités. C'est donc l'ensemble des institutions, leur architecture, qui donne sa consistance à une socioéconomie en action. Enfin, ce processus institué

---

1. *La dynamique du capitalisme*, Paris, Arthaud, 1985 ; M. Beaud, *Le système national mondial hiérarchisé*, Paris, La Découverte, 1987.

n'existe pas dans le vide : il est *encastré* dans un réseau d'institutions sociales, politiques, religieuses, etc., et repose sur un ensemble de valeurs, normes et conventions qui forment une sorte de soubassement socioculturel pour l'économie[2]. Cet ensemble d'institutions privées, publiques et civiques couvrant une grande variété de domaines (de la façon de rémunérer les médecins et les pompiers en passant par les règlements du programme d'assurance-chômage, la signalisation routière ou les normes en usage pour les pourboires, jusqu'à la monnaie émise par la banque centrale et les droits inscrits dans la charte des droits) est un fouillis extrêmement complexe.

On peut lire l'histoire du Québec comme l'évolution d'une trame institutionnelle qui s'est modifiée de temps en temps, parfois dans son ensemble, parfois dans l'une ou l'autre de ses parties. Les modifications ont été le résultat parfois voulu et prévu, mais souvent non voulu et non prévu, d'un entreprenariat dynamique (social, économique et politique) qui a permis, par des comportements astucieux, de faire face habilement et avec succès à des marchés incertains, à des contraintes géotechniques lourdes, à des despotismes éprouvants et à des coûts d'organisation changeants.

Nous inspirant des travaux de Johan Akerman, nous suggérons de découper les institutions en six faisceaux (démographie, production et échange, finance, écologie des groupes sociaux et leurs motivations, État, répartition des revenus et de la richesse) dans lesquels on peut surprendre des discontinuités. À l'aide de ces sous-procès, on peut baliser l'expérience de la socioéconomie québécoise depuis le Régime français en cinq époques institutionnelles (économie comptoir, socioéconomie duale, capitalisme commercial, capitalisme industriel, socioéconomie de l'information) séparées par quatre grandes

---

2. K. Polanyi, « The Economy as Instituted Process », dans K. Polanyi *et al.*, *Trade and Markets in the Early Empires*, Glencoe, The Free Press, 1957, p. 243-270 ; F. Hirsch, *Social Limits to Growth*, Cambridge, Cambridge University Press, 1976 ; D. C. North, *Institutions, Institutional Change and Economic Performance*, Cambridge, Cambridge University Press, 1990.

discontinuités [3]. Les cent dernières années ont été grosso modo l'une de ces époques : entre la discontinuité majeure engendrée par l'industrialisation au dix-neuvième siècle et l'émergence de l'économie de l'information au cours des dernières décennies.

Notre hypothèse principale est simple : de façon cumulative, la socioéconomie québécoise, en se confrontant de manière entrepreneuriale aux multiples défis qui sont apparus sur sa route, en est arrivée à devenir une socioéconomie spectrale, aux deux sens du terme : décomposable et décomposée en jeux fragmentés, mais aussi évanescente, encore incapable de se cristalliser fermement [4]. L'entreprenariat québécois a ouvert des avenues dans toutes sortes de directions et consolidé cumulativement son emprise sur nombre de secteurs et régions. De sa longue marche au cours des cent dernières années, il est sorti une conquête progressive de la socioéconomie par les Québécois. Mais le résultat paradoxal de cette longue marche a été une socioéconomie fragmentée.

Sans pouvoir faire ici la chronique raisonnée de tout le dernier siècle, nous examinerons un petit nombre de chocs majeurs qui ont eu des effets significatifs sur l'économie québécoise et l'ont forcée à se restructurer, à recadrer sa vision d'elle-même. Cette démarche est périlleuse. Elle occulte le processus permanent et silencieux de reconversion lente et continue de la socioéconomie et met l'accent sur certaines discontinuités enclenchant de grands changements. Rappelons cependant que nous sommes intéressés ici bien davantage à repérer une dérive et à comprendre des mécanismes qu'à isoler des causalités. Les moments que nous avons retenus veulent seulement servir de révélateurs pour illustrer notre propos.

---

3. G. Paquet, *Histoire économique du Canada*, radioscopie de vingt-cinq émissions de soixante minutes diffusées en automne-hiver 1980-1981, Montréal, Radio-Canada ; G. Paquet et J.-P. Wallot, « Sur quelques discontinuités dans l'expérience socioéconomique du Québec : une hypothèse », *Revue d'histoire de l'Amérique française*, vol. 35, n° 4, mars 1982, p. 483-521. De Johan Akerman, voir *Théorie économique*, Paris, PUF, 1955.

4. G. Paquet, « Daniel Johnson et la société spectrale », dans R. Comeau *et al.*, *Daniel Johnson*, Sillery, Presses de l'université du Québec, 1991, p. 369-378.

L'instauration du capitalisme industriel

On peut déceler quelques signes d'industrialisation au Québec au dix-huitième siècle et dans le premier tiers du dix-neuvième. C'est évidemment un essaimage de la petite industrie plus qu'un phénomène de grande échelle. L'industrialisation accélère le pas à partir des années 1840 avec l'ouverture du canal Lachine, mais ce n'est que dans le dernier tiers du siècle que le processus socioéconomique se transforme pour de bon. C'est alors la montée de la fabrique, le passage de la manufacture à la machino-facture — le remplacement des ouvriers par des machines —, l'amorce d'un vaste processus d'urbanisation et de fusion des entreprises, et puis les mouvements de ressac, syndicalisation progressive de la force de travail, etc.

L'ajustement de la socioéconomie québécoise à ce grand dérangement va connaître beaucoup de ratés. Le Québec ne sera pas capable de s'adapter aussi vite que les trois autres régions autour des Grands Lacs (Nouvelle-Angleterre, Mid West américain, Ontario) aux défis de l'industrialisation. Ces régions sont toutes mieux équipées pour tirer profit de la révolution industrielle fondée sur le charbon et la vapeur. La raison majeure de ces ratés vient moins du manque d'entreprenariat que de la conjonction d'une lourde hypothèque géotechnique et d'une organisation sociale de type « bureaucratique » qui réagit avec lenteur[5]. L'invasion massive de la bureaucratie et de l'État en 1960 ne sera donc pas tout à fait une première.

L'entrepreneurship québécois n'est cependant pas négligeable entre 1870 et 1930. Mais il s'éparpille : un peu dans la région de Montréal, beaucoup dans les régions périphériques, et énormément vers les États-Unis. Il y aura un exode massif de la population, et donc d'une bonne portion des plus entreprenants, si bien que le différentiel de niveau de vie

---

5. A. Faucher, « La dualité canadienne et l'économique » (1960), dans A. Faucher, *Histoire économique et unité canadienne*, Montréal, Fides, 1970, p. 145-160.

se creuse entre le Québec et ces autres régions. L'émigration nette des Canadiens français vers les États-Unis entre 1870 et 1930 dépasse les huit cent mille personnes[6]. Cela créera une fragmentation majeure de la population francophone en Amérique du Nord. Malgré cet exode, il ne faut pas sous-estimer l'importance du vaste réseau de gens d'affaires qui va se créer au Québec même et se donner des moyens de pression importants dans le dernier tiers du dix-neuvième siècle. Cela donnera naissance à la Chambre de commerce de Montréal en 1887 et à l'École des hautes études commerciales dans la première décennie du siècle. Dès 1902, Errol Bouchette publie un tract dans lequel il analyse les causes des difficultés d'ajustement de l'économie québécoise et suggère qu'on ne pourra s'emparer de l'industrie sans l'aide du gouvernement[7]. Ses appels n'ont pas été entendus.

Jusqu'en 1910, le paysage industriel demeure assez terne, dominé par des entreprises de moyenne envergure qui emploient une main-d'œuvre abondante dans la production de biens de consommation courante pour un marché largement régional. Les secteurs moteurs sont le cuir, le bois et les textiles. On a quelques grands hommes d'affaires, mais la plupart sont dans les secteurs traditionnels : Louis-Adélard Sénécal dans les chemins de fer, Guillaume Boivin dans la chaussure, Joseph Barsalou dans le savon, Alfred Dubuc dans les pâtes et papier, J. B. Rolland également dans le papier à Saint-Jérôme ; Édouard-Alfred Lacroix dirige sa North Shore Power et Louis-Joseph Forget brasse des affaires, rue Saint-Jacques.

Quand arrive brusquement la grande industrialisation exogène portée par l'investissement étranger dans le secteur primaire et le secteur secondaire simple, l'entreprenariat local sera débordé. Il y aura prolétarisation des villes à proportion que les ruraux s'entassent à Sorel, Valleyfield, Sherbrooke,

---

6. G. Paquet et W. R. Smith, « L'émigration des Canadiens français vers les États-Unis, 1790-1940. Problématique et coups de sonde », *L'Actualité économique*, vol. 59, n° 3, septembre 1983, p. 423-453.

7. E. Bouchette, *Emparons-nous de l'industrie*, Ottawa, Imprimerie générale, 1902.

Trois-Rivières, Shawinigan, Québec, mais surtout Montréal. C'est que la grande entreprise étrangère amène avec elle ses capitaux et ses techniques, mais aussi la grande partie des chefs de service et des techniciens nécessaires. L'élément dynamique de l'entreprise industrielle de l'époque est cette « classe de techniciens itinérants, sorte de nomades de l'industrie, exerçant pendant toute leur vie leurs talents en passant d'un établissement à l'autre. Or les Canadiens français sont mal adaptés à cette forme d'activité [8]. » Comme le montre Yves Saint-Germain, la petite et moyenne entreprise ne peut faire face à la concurrence des grandes compagnies canadiennes et américaines. Il y aura faillites, fusions et concentration du pouvoir économique. En 1890, le Québec avait vingt-trois mille fabriques; il n'y en a plus que sept mille cinq cents en 1920 [9].

Pour ceux qui ont décidé de ne pas émigrer, trois voies sont ouvertes: suivre la grande industrialisation alimentée par les capitaux américains vers l'arrière-pays où se trouvent les ressources naturelles; répondre à la politique gouvernementale de colonisation des terroirs excentriques moins éloignés; contribuer à la consolidation d'une économie presque parallèle, en marge ou passive par rapport au grand processus d'industrialisation. Toutes ces forces vont tendre à diffracter économiquement l'entrepreneurship québécois.

Quand, dans les années vingt, s'installe un nouvel ordre économique et qu'éclate le grand conflit entre ceux qu'Yves Saint-Germain nomme les « traditionalistes » et ceux qu'il nomme les « progressistes ambivalents », la socioéconomie québécoise est tiraillée. Pour les premiers, comme l'écrit Louis Hémon, « au pays du Québec, rien ne doit mourir, rien ne doit changer »; le monde des affaires est conçu comme « une enceinte de sorciers » et Henri Bourassa dénonce avec verve la « soif de l'argent, excrément du démon ». Pour les seconds, cette

---

8. R. Parenteau, « L'industrialisation du Québec et ses conséquences », *Semaines sociales du Canada*, XXXe session, 1954; André Vallerand, cité dans R. Comeau (dir.), *Économie québécoise*, Montréal, Presses de l'université du Québec, 1969, p. 339.

9. Dans R. Comeau (dir.), *op. cit.*, p. 439.

attitude est dangereuse. Selon l'un des ténors de ce groupe, Joseph Versailles, « nous avons été chloroformés pendant longtemps ». C'est la thèse des Marie-Victorin, des Pierre Fontanel, qui demandent la conquête industrielle, le pari sur la science, et qui reprennent le discours d'Errol Bouchette. Pour Versailles, « donnez-lui des banquiers et des financiers compétents et la fortune nationale créera dans la province de Québec cette industrie libératrice que nous réclamons [10] ».

Le mouvement de concentration du pouvoir économique va marginaliser la classe d'entrepreneurs canadiens-français qui avait émergé dans la seconde moitié du dix-neuvième siècle. La montée de contre-mouvements (replis communautaires, syndicats, coopératives) pour contenir la logique de la technologie et du marché soutiendra des projets qui ne s'inscrivent pas toujours dans la logique continentale dominante. L'entrepreneurship québécois cherchera une troisième voie entre le traditionalisme et la grande industrie : il va surtout se consolider dans les régions excentriques, construire des réseaux locaux et régionaux, à partir des rapports de parenté. Mais on laissera le pouvoir anglo-américain prendre Montréal en charge.

Crise économique et seconde guerre mondiale

La première vague d'industrialisation exogène a largement été portée par le charbon et la vapeur et le Québec l'a vécue moins bien que l'Ontario. Quand la grande crise frappe, il est moins durement touché que certaines autres régions du pays justement parce que son économie est relativement moins dépendante d'un seul pôle de croissance (comme les provinces de l'Ouest) ou encore de l'industrie lourde (comme l'Ontario). Cependant, dans le domaine des ressources naturelles (la forêt et le gros du secteur minier) ainsi que dans le secteur du matériel roulant de chemin de fer et des machines, ce sera la catastrophe.

Quand la croissance économique s'essouffle dans les années trente, il y a repli vers le monde rural et reprise de la colo-

---

10. Cité par Y. Saint-Germain, *ibid.*, p. 463.

nisation, qui avait ralenti. Mais la socioéconomie québécoise stagne. Ringuet en prendra le pouls dans *Trente arpents*. La guerre va crever l'abcès. En effet, à mesure que la possibilité de s'échapper vers les États-Unis se ferme, l'urbanisation s'accélère : autant de Québécois s'établiront en ville entre 1940 et 1950 que dans tout le siècle précédent. Ce mouvement favorise la consolidation d'un véritable prolétariat urbain dont les origines remontent probablement au début du siècle. Dans leurs romans, Roger Lemelin et Gabrielle Roy font la chronique de cette « nouvelle vie urbaine » où la différenciation sociale s'accentue. Entre Montréal et les régions, on note des différences de revenu *per capita* de l'ordre de vingt à quarante pour cent ; l'écart entre les revenus annuels moyens des travailleurs unilingues francophones et anglophones frise les trente pour cent ; quarante pour cent de l'industrie québécoise est sous contrôle étranger et un autre quarante pour cent sous contrôle anglo-canadien. On continue à avoir un Québec à deux vitesses : Montréal, avec un niveau de vie qui se rapproche de celui de l'Ontario, et le reste de la province, avec un niveau de vie qui se rapproche de celui des Maritimes [11].

La seconde guerre mondiale renverse la vapeur, entraîne une croissance économique phénoménale et redéploie un peu la socioéconomie québécoise vers l'industrie lourde. Or, s'il est vrai que la deuxième vague de la révolution industrielle qui frappe l'Amérique du Nord repose bien davantage sur l'électricité que sur le charbon et que, dans ce domaine, le Québec a un avantage relatif important, comme l'a bien montré John Dales, cet avantage comparatif structurant est limité. À part quelques secteurs où l'électricité est techniquement indispensable (comme pour l'électrolyse dans les secteurs des produits chimiques ou de l'aluminium), le pouvoir hydroélectrique est un facteur de production qui, par rapport au combustible, est bien plus un complément qu'un substitut, et il donne un avantage comparatif (sauf exceptions) surtout dans le secteur

---

11. R. Parenteau, « La situation économique des Canadiens français », *Relations*, vol. 16, n⁰ 190, octobre 1956, p. 247-278.

des industries légères [12]. Pas surprenant donc que la structure économique du Québec en ait été assez peu modifiée.

La guerre accélère l'urbanisation, ramène le plein emploi et relance la demande globale de biens et services, enclenchée par la production de guerre accaparée en bonne partie par le Québec. Avec l'envahissement des capitaux américains dans l'après-guerre, l'économie prend un grand élan qui durera jusqu'au milieu des années soixante. Les grands indicateurs économiques montrent que le Québec a une croissance parallèle à celle de l'Ontario. Mais le dualisme des pouvoirs économiques est accentué au Québec dont la socioéconomie va éclater — géographiquement, linguistiquement, financièrement et socialement. Sous-régions et groupes sociaux se partagent de plus en plus inégalement la richesse. Les sous-régions excentriques éloignées de Montréal ont des rythmes de vie parallèles et les segments de l'espace économique et social québécois deviennent désarticulés.

Certains refusent d'admettre comme significatives les différences interprovinciales dans l'expérience de croissance économique tout autant que les différences entre Montréal et le reste du Québec. Pour les économistes de religion néoclassique comme André Raynauld, le mécanisme de marché fonctionne bien et la croissance se répand sur tout le territoire avec souplesse [13]. Comment expliquer les écarts entre le revenu personnel moyen en Ontario et au Québec (un écart de 27,5 % en faveur de l'Ontario) et entre Montréal et le reste de la province ? Dans le premier cas par exemple, Raynauld attribue les deux tiers de la différence au fait que les salaires sont plus bas au Québec. Quant à savoir à quoi cela est attribuable, il suggère, sans aucune preuve à l'appui, que c'est pour une bonne part à cause de l'absence d'une classe d'entrepreneurs canadiens-français !

---

12. J. H. Dales, « Fuel, Power and Industrial Development in Central Canada », *American Economic Review, Papers & Proceedings*, 1953, p. 181-198.

13. A. Raynauld, « Les problèmes économiques de la province de Québec », *L'Actualité économique*, octobre-décembre, 1959, p. 414-421.

D'autres ne voient pas les choses du même œil. Selon Jacques Parizeau, par exemple, les différences entre l'Ontario et le Québec sont structurelles en raison des « causalités cumulatives » et des effets d'entraînement qui rendent certaines régions motrices et d'autres moins. Pour lui, c'est le manque de ressources financières qui est au cœur de ces disparités, ce qui devrait être corrigé par un plus grand rôle de l'État, pour sortir les entreprises francophones des secteurs « mous » et les entreprises régionales des réseaux parallèles à ceux de la grande entreprise [14].

Baby-boom et révolution nationaliste

Cet accident démographique qu'est le baby-boom est un effet d'écho de la grande crise et de la guerre et il aura des conséquences phénoménales. Entre 1951 et 1966, naissent deux millions de Québécois ; en 1966, une personne sur trois a moins de quinze ans. Pour répondre à cette poussée démographique, on fait des investissements publics massifs : hôpitaux, écoles et autres institutions pour fournir les services sociaux nécessaires. Le dynamisme économique que cette poussée démographique entraîne dans les années cinquante va non seulement alimenter une croissance rapide de l'économie mais aussi une immigration nette positive vers le Québec — ce qui est rare.

Le baby-boom va servir à rationaliser l'interventionnisme gouvernemental qu'on nommera « révolution tranquille ». Démographie oblige. Mais, au début, l'État modeste des années cinquante résiste à la tentation. Ce n'est véritablement qu'avec la récession de la fin des années cinquante que se fera le passage de l'État-providence à l'État réformateur. Emporté par l'enthousiasme, l'État enclenche alors une action massive au nom d'un ensemble de droits sociaux nouveaux — droit à l'éducation, droit à la santé, droit à la sécurité du revenu, droit de participer au développement, droit de participer à

---

14. J. Parizeau, « Quelques caractéristiques de l'économie du Québec », *Relations*, octobre 1966, p. 265-267.

l'enrichissement collectif, etc. Il devient courtier en changement social pour assurer une protection jugée nécessaire pour
une cohorte exposée dans une difficile période de transition
durant laquelle la socioéconomie privée n'arrive plus à
répondre adéquatement aux attentes des citoyens.

Mais une logique nouvelle naît sur cette lancée : l'État
entrepreneur étend son action planificatrice de manière
toujours plus ambitieuse. Cette ambition est nourrie par la
nouvelle classe moyenne de cadres professionnels et semi-
professionnels qui a pris racine dans le secteur public et
parapublic où elle fait l'expérience frustrante des limites de
ses capacités à changer le monde [15]. Dans un premier temps,
l'État entrepreneur dit vouloir se faire le complément de
l'entrepreneurship privé considéré comme déficient. Une série
d'institutions nouvelles (Conseil d'orientation économique,
Bureau d'aménagement de l'est du Québec, Société générale de
financement, Société québécoise d'exploration minière, etc.)
entendront donc épauler et catalyser le développement privé.
Or, au milieu des années soixante, la croissance économique
s'essouffle. Qu'à cela ne tienne, l'État poursuivra la fuite en
avant avec des investissements publics massifs : barrages,
métro, Expo, etc. Cet effort d'investissement public contribue
à préserver la croissance pendant un moment, mais quand il
s'arrêtera, ce sera la crise.

L'expérience des limites de ce que peut faire le secteur
public et parapublic va aggraver les frustrations. Comme
l'explique bien Hubert Guindon, cela amènera la nouvelle
classe moyenne à vouloir se donner un second souffle en
cherchant à extraire plus de ressources d'Ottawa et en
réglementant le secteur privé de manière à inscrire son travail
entrepreneurial dans le sens des intérêts de la nation. Tel est le
nationalisme québécois des années soixante et soixante-dix.
Albert Breton a analysé ce phénomène : à la population en

---

15. H. Guindon, *Quebec Society: Tradition, Modernity, and Nationhood*,
Toronto, University of Toronto Press, 1988 ; G. Paquet, « Hubert Guindon,
hérisson », *Recherches sociographiques*, vol. XXX, nᵒ 2, 1990, p. 273-283.

général, on fait miroiter des avantages psychologiques ou symboliques, alors que la nouvelle classe moyenne s'approprie les avantages matériels et financiers[16]. Ce nationalisme fera long feu sur les deux fronts: le secteur privé se rebiffe et le fédéral adopte la ligne dure. Il aura en outre un effet d'éviction surtout à cause de la politique linguistique, mais il aura aussi un effet de mobilisation de la nouvelle classe moyenne et de ses émules qui commencent à prendre racine dans le secteur privé. La frustration va tellement monter que la nouvelle classe moyenne sera amenée à soutenir un parti politique plus radical, le Parti québécois

Les deux millions de Québécois du baby-boom vont devenir une génération séparée. Née dans une ère de prospérité, elle grandit dans un Québec qui fait face à une crise économique sérieuse. L'État aura le choix de piloter des ajustements radicaux dans la socioéconomie pour lui faire passer le cap de cette crise plurielle (déclin de Montréal avec la dérive de l'activité économique vers l'ouest, chocs énergétiques, etc.), mais il empruntera la voie de la révolution tranquillisante.

Au plan régional, au moment même où les structures craquent, on promet le développement de la périphérie; au plan industriel, on va sauver systématiquement toute une série d'entreprises de la faillite ou de la mainmise étrangère; au plan social, on va retarder délibérément l'adaptation en permettant aux rémunérations moyennes québécoises de dépasser celles de l'Ontario, et en augmentant le salaire minimum à 117% de celui de la province voisine en 1978.

Cette ère mourra dans les débuts des années quatre-vingt, où on finira par reconnaître que la stratégie était désastreuse. C'est là qu'on effectuera le virage vers le nationalisme de marché[17]. Ce nationalisme de marché ou cet entreprenariat nationaliste ne résulte cependant pas d'un changement d'esprit; il ne fait que répondre à des modifications dans l'environnement. L'un

---

16. A. Breton, « The Economics of Nationalism », *The Journal of Political Economy*, vol. 72, nº 4, 1964, p. 376-386.

17. T. J. Courchene, *What Does Ontario Want?*, Toronto, Robarts Center for Canadian Studies, 1989.

des effets non voulus — et non prévus, diraient certains — du nationalisme défensif des années soixante-dix avait été d'accentuer le départ des sièges sociaux et d'une certaine classe d'affaires anglophone. L'entrepreneurship québécois avait pu fleurir dans ces nouveaux espaces de liberté. Mais, dès 1982, on voit apparaître le discours de la rigueur et, de l'État entrepreneur, on passe à l'État catalyseur [18]: il n'est plus question de suppléer à un entrepreneurship privé déficient mais d'entrer en partenariat avec lui. Cet entreprenariat n'est pas de génération spontanée dans les années quatre-vingt et Québec inc., qui est l'incarnation du partenariat État-monde des affaires, non plus. Ce sont des phénomènes qui ont grandi pendant les années soixante et soixante-dix, mais c'est seulement dans les années quatre-vingt qu'on assiste au recadrage des perspectives.

L'entreprenariat PME sera durement ébranlé par la crise économique du début des années quatre-vingt et le partenariat ne semble pas lui avoir survécu non plus. Déjà au début des années quatre-vingt-dix, on célébrait le requiem de Québec inc. [19] et, dans les années quatre-vingt, à proportion que les jeunes baby-boomers ont acquis la certitude qu'ils étaient condamnés à ne pas pouvoir se donner accès au même niveau de richesse et de confort que leurs parents dans une socioéconomie dont la crise perdure depuis une quinzaine d'années, il y a eu une dégradation du contexte social qui explique un ras-le-bol annonciateur, pour certains, de tensions intergénérationnelles.

Dématérialisation et globalisation

La tentative de repli sur l'enclave québécoise ne satisfait personne. La mondialisation et la globalisation s'accentuent et les petites économies comme le Québec se trouvent de plus en plus exposées à la concurrence. L'intégration économique internationale entraîne la désintégration nationale: les pans

---

18. *Ibid.*
19. C. A. Carrier (dir.), *Pour une gestion efficace de l'économie*, Montréal, ASDEQ, 1992, p. 42 et suiv.

d'économie nationale dépendent de moins en moins de leur entourage national et de plus en plus de grands réseaux internationaux. Il y a un revers paradoxal à cette situation : il devient possible pour les petits acteurs sur la scène mondiale de faire la différence, de trouver du pouvoir dans ces marges de liberté et de se construire des niches sur mesure[20]. Cela réclame cependant beaucoup de souplesse et une forte capacité à se transformer et à apprendre.

La mutation du processus de production et d'échange (doublée d'une insertion obligée du Québec dans le grand bloc économique en formation en Amérique du Nord) va lancer son plus grand défi à la socioéconomie québécoise. Pour une économie qui dépend beaucoup des ressources naturelles, le passage à une économie de l'information et de la connaissance ne sera pas facile : près de quarante pour cent des jeunes ne terminent pas leurs études secondaires, alors que la plupart des emplois dans la « nouvelle économie » réclament seize années de scolarité. On est donc assez mal préparé pour les durs jeux de l'économie nouvelle.

Dans cet environnement turbulent, la séquence des événements est prévisible : déterritorialisation et délocalisation de l'activité économique, concurrence accrue, internationalisation de la production, oligopolisation sociale, protectionnisme et corporatisme, etc. L'accord n'est pas fait sur la capacité des Québécois à tirer leur épingle du jeu dans ce grand cirque. Certains se sentent particulièrement bien préparés à cette grande mutation et semblent déjà voir leur niche dans l'espace économique nord-américain. D'autres suggèrent qu'il va falloir mettre les bouchées doubles et mobiliser les énergies de chacun pour y arriver[21]. D'autres enfin, plus pessimistes, proposent qu'il « serait temps que l'on sorte des discours flatteurs[22] » pour reconnaître que la transition va en fait être

---

20. J. Naisbitt, *Global Paradox*, New York, William Morrow, 1994.

21. G. Tremblay, « Économie en état d'urgence », *La Presse*, 11-12 septembre 1991, et « Vers une société à valeur ajoutée », allocution, 2 décembre 1991, Montréal.

22. A. Juneau, « Où va l'économie du Québec ? », *Le Devoir*, 9 avril 1991.

longue et pénible et qu'elle réclame rien de moins qu'une révolution des esprits.

Le Québec a pourtant et malgré tout des atouts dans cette partie : un Québécois sur trois entre dix-huit et vingt-quatre ans est inscrit au postsecondaire — c'est plus qu'en Ontario — et dans cette ère de la connaissance comme ressource majeure, ce n'est pas peu. C'est un acquis indéniable de la révolution dans l'éducation qui a été enclenchée par le boum démographique de l'après-guerre. Mais, en contrepartie, il y a aussi que les Québécois sont « bons vivants, tolérants et pantouflards [23] ». En fait, ils espèrent que toute cette transition se fera en douceur sans qu'ils aient à subir une baisse de leur niveau de vie et sans avoir à travailler beaucoup plus fort.

C'est là que le bât blesse. Il est en effet peu probable que cela se passe ainsi : les discours rassurants ne remplaceront jamais la compétence, l'effort soutenu, l'entreprenariat et le goût du risque, la capacité et le sens du partenariat. Or, la socioéconomie québécoise de demain va être de plus en plus fractionnée, éclatée, et les conflits opposeront bien moins le capital et le travail que des « groupes mobiles et innombrables conditionnés par la diversité de leur appartenance et de leurs projets [24] ».

L'accord de libre-échange nord-américain va être un moment de vérité : il y aura des pressions importantes dans tous les secteurs, y compris ceux que l'on avait réussi à protéger dans le cadre des accords assez lâches du GATT, ce qui ne pourra se traduire que par l'élimination de certaines grandes industries. La concurrence d'une main-d'œuvre mexicaine qui peut souvent fabriquer des produits de même qualité à moindre coût ne peut en outre qu'accroître la précarisation du travail. Voilà qui va forcer les entreprises à rationaliser leurs opérations et à réclamer une flexibilité encore plus grande de la main-d'œuvre. Celle-ci pourrait être bientôt composée aux

---

23. J.-F. Lisée et al., « Qui sommes-nous ? Anatomie d'une société distincte », L'Actualité, janvier 1992, p. 20.

24. G. Paquet et J.-P. Wallot, « Sur quelques discontinuités... », art. cité, p. 519 ; G. Paquet, « New Patterns of Governance », Canadian Center for Management Development, 1993.

trois quarts de pigistes et de vacataires, dans une «société temporaire» où la précarité serait généralisée, la sous-traitance un mode de vie, et l'adaptation rapide obligatoire.

Dans une socioéconomie vieillissante, où les droits sociaux semblent difficilement négociables, où il y a tendance à chercher moins la productivité accrue que l'indexation des rémunérations et le droit à l'immobilité, un certain protectionnisme déguisé et croissant est probable. Dans ce contexte, le «grand jeu» québécois est en train de se chercher des règles nouvelles fort lentement, parce que les Québécois conservent un grand optimisme et une certaine croyance qu'ils n'auront pas trop à s'ajuster ou que tout au moins ce ne sera pas aussi pénible qu'on veut le leur faire croire.

CHAPITRE 3
Une socioéconomie postmoderne

> Pour arriver à ce qu'on ne sait pas,
> il faut comprendre le chemin de
> l'ignorance.
>
> T. S. ELIOT

En un siècle, le Québec a télescopé son évolution. On est passé d'une économie traditionnelle à une économie postmoderne sans se donner le temps d'en approfondir les fondements modernes. Le Québec a court-circuité sa modernité.

La modernité, c'est la révolte contre le carcan de la tradition. La problématique postmoderne est issue des malaises engendrés par la modernité, c'est-à-dire par l'individualisme, par les excès de la raison instrumentale et par les contraintes exercées par la société techno-industrielle et planificatrice sur les choix des hommes. Il en est sorti une volonté de se débarrasser du joug despotique de la raison. Une économie postmoderne est une économie qui se serait affranchie du carcan de la modernité.

La réalité postmoderne est marquée par un ensemble de traits : un *relativisme* qui remet en question les grands schèmes d'interprétation ayant servi à justifier le monde moderne (libéralisme, rationalisme, marxisme, nationalisme, etc.); une conscience aiguë des *dangers de la rationalisation de la société* qui se traduit vite par un assujettissement des citoyens, leur mise en dépendance croissante qui gomme leur pouvoir ; des cadres mentaux dominés par les nouvelles *technologies de l'information* qui permettent une manipulation de plus en plus grande de données ; l'apparition de *nouvelles valeurs* et de nouveaux mouvements sociaux (féminisme, écologisme, transculturalisme, etc.), qui prennent toute la mesure des résistances « locales » et du rejet des grands schèmes d'interprétation [1].

La condition postmoderne est celle de groupes aux prises avec cette crise des fondements : tout devient contestable, l'unité est perdue, le centre a implosé. La socioéconomie est devenue une sorte de processus institué éclaté et balkanisé, une réalité qui n'est plus justiciable d'une rationalité unique et englobante.

Éléments de diagnostic

L'économie québécoise, qui avait déjà eu tendance à se diffracter depuis le début du siècle, va accélérer ce processus au cours des dernières décennies. Dans la plupart des économies industrialisées, on parle des années d'après-guerre comme des « trente glorieuses ». Au Québec, on devrait plutôt dire les « vingt glorieuses » parce que les signes de détresse sont apparus dès le milieu des années soixante. Rien de dramatique au début, mais des indices d'une société en train de naître.

Au plan démographique, au milieu des années soixante, il y a plus de monde à l'école qu'au travail. Au plan politique, c'est la grande polarisation entre Pierre Elliott Trudeau et Daniel Johnson. Au plan économique, c'est la fin de l'illusion régionaliste (Bureau d'aménagement de l'est du Québec) et la confirmation de la fracture entre Montréal et le reste de la province. Au plan social, c'est la grogne et les manifestations sauvages. Au plan culturel, c'est l'arrivée de Robert Charlebois, symbole d'une génération qui a décroché et qui est

---

1. Voir notamment C. Taylor, *Grandeur et misère de la modernité*, Montréal, Bellarmin, 1992, et J.-F. Lyotard, *La condition postmoderne*, Paris, Minuit, 1979.

frustrée par le peu que la Révolution tranquille lui a livré, elle qui promettait tant.

Cette génération va avoir recours à des idéologies globales pour interpréter la crise québécoise et définir les problèmes locaux. À quelques exceptions près, par exemple Daniel Johnson — qui navigue d'une manière pratique pour mettre en place un nouveau contrat social libéral personnaliste faisant une place à la nation, à l'État stratège —, les définisseurs de situation seront emportés par la croisade étatiste. De Daniel Johnson, on dira qu'il est timoré, gris dans un univers qui veut tout voir en noir et blanc.

Quand la croissance économique va reprendre, au début des années soixante-dix, on remonte la tête dans les nuages. Si les années soixante, c'est la révolution tranquille, les années soixante-dix, c'est la révolution tranquillisante. Le discours volontariste va se faire mythocrate : on va bâtir le Québec, on va prendre le virage technologique, les gouvernements vont se déclarer « créateurs » d'emplois, et même si le niveau de vie réel décline, on excommunie les contradicteurs. C'est une ère de despotisme cognitif.

Ce n'est qu'avec les années quatre-vingt que l'on verra changer les attitudes et les politiques. On abandonne les grandes idéologies, Candide retourne dans son jardin : les Québécois vont devenir postmodernes (relativistes, méfiants à l'égard des grands schèmes rationalisateurs et de la manipulation, se regroupant en guérillas vertes, roses, etc.). Ce sera, dans la seconde partie de la décennie, la chute dramatique de l'intensité de l'action syndicale (de deux fois plus que l'Ontario en intensité de grèves en 1985-1987, le Québec tombe à 60 % du niveau de l'Ontario en 1990 ; de plus grands que ceux de l'Ontario en 1980-1982, les salaires moyens au Québec tombent à 92 % de ceux de notre voisin — comme en 1972 — en 1990). Les trois quarts des définisseurs de situation au Québec en 1986 déclarent qu'il devrait y avoir moins d'intervention gouvernementale ; un peu plus de la moitié seulement en Ontario. Les deux tiers des leaders québécois veulent qu'on mette l'accent sur la croissance économique plus que sur les programmes sociaux; c'est presque l'inverse en Ontario[2].

Les grandes idéologies n'apparaissent plus à même de relever les défis que lancent les nouvelles réalités. On ne voit plus la socioéconomie comme une vieille voiture à qui il suffirait de donner un grand coup de manivelle pour la faire redémarrer; ce keynésianisme naïf est presque mort. Une nouvelle métaphore commence à se faire jour dans les travaux de Jane Jacobs et de Marcel Côté, celle d'une économie-jardin[3]. La socioéconomie y est présentée comme un jardin où poussent les fleurs et les plantes les plus diverses et où ceux qui proposent des solutions mécaniques et générales pour engendrer la prospérité sont de plus en plus considérés comme des charlatans.

Cette nouvelle vision de l'économie commande évidemment des politiques qui dépassent les coups de manivelle et reposent sur une décentralisation radicale des efforts. Il est question de privatisation, de subsidiarité, de retour à la région, d'effort de complétude institutionnelle et de célébration de l'entreprenariat. Le devant de la scène est occupé par l'économie de réseaux, qu'on avait méprisée au moment du triomphalisme keynésien et plombier.

Le soubassement communautaire, qui avait été stimulé dans l'après-guerre et exhaussé dans les années soixante, qu'on a perdu de vue à la fin de la même décennie puis mythologisé dans les années soixante-dix, s'effrite dans les années quatre-vingt. Ce qui reste est une petite économie ouverte et dépendante mais, surtout, beaucoup plus balkanisée que dans le passé. Il faut donc reconstruire à partir des communautés, du soubassement communautaire. Et il y a des signes que cela a commencé[4].

La pensée politique et le discours économique marqueront du retard sur la réalité, ce qui n'est pas surprenant. La gent

---

2. T. J. Courchene, *What Does Ontario Want?*, *op. cit.*

3. J. Jacobs, *Cities and the Wealth of Nations*, New York, Random House, 1984; M. Côté, *By Way of Advice*, Oakville, Mosaic Press, 1991.

4. *L'Actualité*, « Dossier Solidarité – Imagination au pouvoir », vol. 19, n° 5, octobre 1994, p. 19-40.

politique a continué de se bercer de rêves volontaristes comme en fait foi la rhétorique au cours des élections fédérales et provinciales de 1993 et 1994, mais le ton changera en 1997-1998 : tant au fédéral qu'au provincial, c'est l'État modeste, l'État annonçant prudemment son désengagement parce que la population ne suit pas toujours de bon cœur. Entre-temps, à tous les niveaux, la gouvernance a évolué. Il y a décentralisation (de Québec vers les régions) au nom de l'efficacité et d'un service de moins en moins standardisé plus près du citoyen devenu de plus en plus exigeant. Quant à la gent économiste, elle est schizophrène : son outillage mental appelle la décentralisation et donc elle devrait se réjouir de la dérive postmoderne, mais comme ce sont les gouvernements les plus centralisateurs qui sont les gros utilisateurs d'économistes, elle a le goût de la centralisation.

Quelques repères

Pour fixer les idées et illustrer cette dérive postmoderne de la socioéconomie, on pourrait prendre une multitude d'exemples. Nous en retiendrons trois. Il s'agit évidemment moins de preuves irréfutables que de présomptions concluantes, mais on peut croire que ces signes des temps sont suffisants.

Premièrement, alors que les grandes images de l'économie québécoise de l'après-guerre caricaturaient la réalité par une série d'indices globaux, à partir du milieu des années soixante, on va commencer à s'aviser que *l'espace économique québécois n'est pensable que par morceaux*. Ce sera d'abord le déclin économique de Montréal, dont on parlera beaucoup à l'époque Johnson, et qui marquera la fracture du Québec en deux, chaque portion donnant voix à son malaise et à sa colère. Au cours des années soixante-dix, on sera tenté de reglobaliser et de se donner des images idéologiques d'une économie intégrée, mais cela se fera contre la réalité puisque les extraordinaires divergences et disparités entre sous-régions vont s'accentuer. En fait, cette balkanisation va réduire l'efficacité de la socioéconomie dans son ensemble, et les politiques macro-économiques gouvernementales vont souvent déclencher le syndrome de « la maladie du guérisseur[5] ».

Voilà pourquoi, dans les années quatre-vingt et quatre-vingt-dix, on verra sourdre la stratégie des « grappes industrielles » qui, bâtissant sur les synergies entre entreprises et sur des actions pointues de l'État, va dépecer l'espace économique en treize réseaux. Cette approche élaborée par étapes met l'entreprise au centre du développement. On pense maintenant l'économie sous forme de réseaux — intra, trans et inter entreprises. Le gouvernement Parizeau élu en 1994 va même donner une grande saveur régionaliste à son administration au niveau même de la structure de son cabinet : ministres fonctionnels complétés par des ministres d'État régionaux.

Les treize grappes industrielles proposées par Gérald Tremblay ne découpent pas l'espace économique en zones étanches : ces « zones économiques » débordent les frontières du Québec et ont leur cœur dans des sous-régions précises qui sont ainsi liées directement au grand contexte international. L'État ne prétend plus jouer le rôle de grand maître d'œuvre ; il se donne seulement « un rôle de catalyseur, assure un environnement concurrentiel et favorise le regroupement des forces économiques pour créer une société plus forte et porteuse d'avenir[6] ». À la limite, l'État stratège comprend qu'il devra se faire agent moral, jouant à la fois le rôle de négociateur, de catalyseur et de précepteur, et assurer un leadership tout à fait différent dans ce contexte postmoderne.

Le deuxième exemple concerne le *déclin des solidarités*. Derrière la façade des rhétoriques en vogue, ce qui est le plus surprenant dans les années quatre-vingt, et que dénoncent, chacun à sa façon, bien des observateurs, c'est la fragmentation sociale croissante à proportion que les exclus augmentent et que les inclus deviennent moins solidaires. Cela est déjà visible

---

5. R. Lacroix et N. Poulet, « Et si les gouvernements étaient les premiers responsables de nos problèmes de chômage ? », dans C. A. Carrier (dir.), *Pour une gestion efficace de l'économie*, Montréal, ASDEQ, 1992, p. 191-200.

6. G. Tremblay, « Vers une société à valeur ajoutée », allocution, 2 décembre 1991, Montréal, p. 6.

dans l'évolution du marché du travail, dont il se pourrait que le gros de la population soit exclue d'ici quelques décennies, mais c'est aussi visible dans les rapports entre générations. Les propos de Jacques Grand'Maison — sorte de Cassandre qui a une conscience aiguë de la crise et annonce, en 1993, la violence à brève échéance — sont inquiétants[7]: propos alarmistes qui surestiment peut-être l'ampleur du fossé et, donc, des distances en train de se creuser entre groupes. Le discours nationaliste veut occulter les différences sans pourtant y arriver.

Au niveau du Canada, le déclin des solidarités inter-régionales (entre la généreuse loi sur la péréquation des années cinquante et le fameux « Let those Eastern bastards freeze in the dark » des années soixante-dix) a été bien documenté; ce qui l'est moins c'est le morcellement social, régional, ethnique et culturel. Les indices ont beau n'être pas fiables, les impressions sont fortes.

Ce n'est rien de moins que le contrat social sous-jacent à la socioéconomie qui est remis en question et la renégociation des droits et obligations de chacun qu'il faudrait enclencher pour que la socioéconomie puisse prospérer. Mais c'est encore la priorité absolue des droits que chacun déclare avoir... le droit de s'arroger. Il n'y a pas là la base pour un nouveau contrat moral. Les contrats moraux qu'on propose (immigration, santé) sont des contrats de responsabilisation personnelle comme technique pour se donner accès à l'efficacité administrative, mais derrière ces contrats peu de valeurs communes, pauvreté des valeurs communautaires mêmes. Dans *L'Actualité* de janvier 1992, l'image qu'on donne du Québec francophone est un portrait saisissant de ce déclin des solidarités: le Québec est au sommet de la pyramide de la postmodernité.

Troisième illustration, le morcellement et l'éclatement n'ont pas seulement frappé l'espace économique et la société, mais aussi le système de guidage sociopolitique de la socioéconomie,

---

7. J. Grand'Maison, « Pour contrer le décrochage scolaire: une piste prometteuse », dans D. Côté *et al.* (dir.), *Décrochage, décrochage technique: la prospérité en péril*, Ottawa, ACFAS-Outaouais, 1993, p. 7-18; C. Béland, « Vers une économie solidaire », dans C. A. Carrier (dir.), *op. cit.,* p. 237-244.

ce qu'on a appelé Québec inc. Que l'on croie ou non à la réalité d'un véritable réseau, il n'est pas question de nier l'existence d'arrangements organisationnels qui ont donné à notre administration socioéconomique une certaine force de frappe. Or, même cet appareil, qui, suppose-t-on, incarne le modèle québécois, a disparu ou est en train de vivre une mutation en un Québec inc. II grandement éclaté et décentralisé[8]. Québec inc. II prend ses sources vives dans le terroir local-régional : on est revenu au jardin de Jacobs et Côté.

Assez dit pour que l'on conçoive tout au moins que la dérive vers la postmodernité de la société et de l'économie québécoises est une hypothèse plausible, et pour qu'on se demande comment cette socioéconomie éclatée va vivre son proche avenir et quelles sortes de politiques socioéconomiques elle pourrait bien engendrer. Ce n'est déjà plus de la prospective puisque, dans les dernières années, on a vu émerger de nouveaux arrangements et de nouvelles institutions.

La nouvelle économie politique

Si cet éclatement et cette diffraction de la socioéconomie sont considérés comme une donnée, on voit vite que les conditions de prospérité dans cette économie-jardin vont être fort différentes de ce qu'elles étaient dans l'économie-machine. Si les impacts extérieurs ont eu souvent pour effet de perforer l'État, on voit que, de l'intérieur, les forces qui vont entraîner son éclatement sont déjà là. En fait, on voit monter une économie politique nouvelle dont on peut repérer quelques caractéristiques simples.

De la société civile québécoise émergent les mouvements les plus divers qui utilisent le forum pour défendre âprement leurs intérêts particuliers. Ces contestations permanentes ont miné la légitimité de l'État canadien et sont en train de miner celle de l'État québécois : le modèle de Westminster est mort

---

8. P. P. Proulx, « Vers un nouveau modèle de développement économique : Québec inc. II », dans C. A. Carrier (dir.), *op. cit.*, p. 33-46.

et, avec lui, l'État taylorien. Le grand débat tacite porte sur la question de savoir jusqu'où doit aller la *subsidiarité*, c'est-à-dire jusqu'où il faut pousser l'effort pour servir la population le plus près possible du citoyen, et ce faisant déplacer le pouvoir de décision vers le local. Dans ce débat, le Québec, qui réclame la décentralisation du pouvoir fédéral en faveur des provinces, la refuse souvent aux administrations ou aux groupes de la société civile qui revendiquent le droit à la différence.

Ces tensions ne sont pas nouvelles mais, dans le passé, l'État québécois a hésité entre bien des façons d'y répondre. Il y a eu, d'abord, les sommets régionaux, qui devaient donner une voix aux particularités. En fait, il s'agissait de faire comprendre aux phalanges régionales qu'il valait mieux avoir l'oreille du prince que le pouvoir local. Mais cette écoute épisodique a surtout voulu dire que le gouvernement québécois s'est senti légitimé dans son action centralisée subséquente. Ensuite, il y a eu des efforts réels de décentralisation, surtout au cours de la dernière décennie, mais ils se sont faits conjointement avec ceux de réduction des dépenses publiques. Le résultat a souvent été de donner mauvaise presse à la décentralisation parce que les responsabilités étaient dispersées sans que des ressources fiscales équivalentes prennent le même chemin. Enfin, on a vu le gouvernement Parizeau utiliser le mécanisme des « quasi-ministres » régionaux se rapportant directement au premier ministre soi-disant pour mieux enregistrer sa sensibilité aux sentiments locaux: stratagème pour ne pas donner vraiment une valence plus grande au pouvoir local.

Il n'est pas certain qu'une véritable dévolution de pouvoir va se faire. Et si elle se fait, ce sera sous protêt, parce que la puissance de l'habitus centralisateur est aussi importante au niveau de l'État-région[9] que de l'État-nation, et probablement encore plus forte quand l'un et l'autre se superposent. L'habitus est défini par Bourdieu comme un système de dispositions et d'inclinations à utiliser certaines stratégies ou approches qui

---

9. K. Ohmae, « The Rise of the Region State », *Foreign Affairs*, vol. 72, n° 2, 1993, p. 78-87. Voir aussi le chapitre 6 de cet ouvrage.

harmonisent le plus efficacement les contraintes auxquelles on fait face avec notre vision du monde. En ce sens, l'habitus est à la fois une action organisatrice, une manière d'être, une disposition et un penchant[10]. L'habitus centralisateur est une tournure d'esprit qui fait qu'on cherche des solutions centralisées aux problèmes auxquels nous sommes confrontés même quand des approches décentralisées semblent plus appropriées, plus robustes, plus fiables.

Voilà d'ailleurs pourquoi on sent tant de résistance à reconnaître la légitimité des demandes des autochtones, des jeunes, des femmes, des communautés culturelles ou des groupes linguistiques : il y a refus de la différence ; et que, quand on est amené de force à admettre ces différences, il devient clair que le goût de la centralisation fait qu'on va insister pour s'occuper de ces besoins différents au niveau du gouvernement québécois.

Cette tentation de s'agripper au pouvoir provincial est d'autant plus facile à comprendre que l'État-région, tout comme l'État-nation, est en perte de pouvoir à cause de la globalisation et de la diffraction des populations en groupes dont le destin dépend d'un faisceau de forces extra-régionales et extra-nationales. Et cela arrive d'ailleurs au moment où la crise fiscale oblige tous les États à se faire plus modestes. Contesté tant par le haut que par le bas, tant par son manque de ressources que par sa légitimité qui en est la cause, l'État-région refuse aussi bien le rôle modeste de précepteur, de catalyseur, que celui d'architecte et d'entrepreneur qu'il avait dans le passé. La principale raison pour laquelle l'État-région garde jalousement ses oripeaux sociaux-démocrates, même quand il n'en a plus les moyens, c'est que les abandonner serait accepter symboliquement une réduction de statut.

Pour combattre la sclérose institutionnelle et la sénilité galopante, l'État-région pourrait se lancer dans un processus permanent de consultation comme nouvel appareil de gouvernance. Fini le rêve d'une réforme par le haut et la recherche

---

10. P. Bourdieu, *Esquisse d'une théorie de la pratique*, Genève, Droz, 1972.

d'un Ponce de León qui puisse découvrir une nouvelle fontaine de Jouvence pour la socioéconomie québécoise. Le rajeunissement viendrait d'en bas et d'abord par la reconnaissance que le jardin est grand et varié, qu'il faut donc ajuster les politiques par un *jardinage éclairé*, en se rappelant que le jardinier n'est pas un préfet de discipline et qu'il ne doit pas s'illusionner sur son rôle : il ne crée rien, il ne fait qu'aider la nature.

Mais pour que ce programme ajusté à la réalité postmoderne de l'économie soit mis en place, il faut une révolution dans notre façon de penser : un recadrage de notre notion d'économie, la remise en question de l'*habitus centralisateur*, un devis précis montrant, à partir des sous-régions, comment régions et secteurs pourraient être restructurés, un nouvel outillage délicat et souvent « moral » ajusté aux circonstances, et les conditions d'un apprentissage organisationnel continu. Et peut-être faudra-t-il finalement accepter que même l'État-région est trop homogénéisant et centralisateur pour satisfaire les besoins d'une société postmoderne.

La prochaine discontinuité

Un facteur important brouille cependant les pistes. Parallèle à l'affirmation de la société postmoderne (sa diffraction, sa dissonance, son pluralisme), il existe au Québec un mouvement contraire né d'une certaine logique de l'honneur, selon laquelle un mode de vivre ensemble très serré mérite d'être préservé même s'il est homogénéisant.

L'entreprise est une forme d'organisation moderne et, on le suppose, rationnelle. Même si souvent elle semble opposer sa logique d'efficacité à la logique de l'honneur, l'épisode Québec inc. a montré qu'il était fort possible d'être simultanément rationnel et passionnel, et que ce mélange pouvait être porteur d'efficacité, d'ajustement rapide, de création de richesse, tout autant que de projets mobilisateurs. Les succès de la Caisse de dépôt et placement ont montré que cette voie mitoyenne (rentabilité financière et développement collectif) est praticable.

Reste à savoir jusqu'où peut aller un projet collectif de société dans l'intégration homogénéisante sans étouffer ou asphyxier les particularismes, sans abolir les marges de liberté et le désir d'autonomie, sans casser l'enthousiasme, le désir d'innover, sans « démotiver » tout un pan de la socioéconomie et engendrer l'émigration. Il s'agit là d'un problème que doivent résoudre toutes les sociétés, chacune selon son esprit et ses valeurs dominantes. Dans certaines d'entre elles, comme les États-Unis, le mode d'intégration dominant est le contrat; dans d'autres, comme la France, c'est l'honneur [11]. Au Québec, où les valeurs sont une sorte d'émulsion qui a emprunté à l'une et l'autre source, il y a pour le moment comme un flottement du centre. D'une part, il y a la célébration du pluralisme québécois, pari sur les petits détails qui font la force d'une société d'hommes libres; d'autre part, il y a la célébration de la nation québécoise, des grands principes.

Le Québec a produit une génération de petites entreprises dans les premières décennies du vingtième siècle, mais cette phalange a été éliminée par la grande dépression. De même, les efforts importants pour stimuler la petite entreprise dans les années soixante-dix et les synergies mises en place par les grands partenaires sociaux autour de Québec inc. ont assez mal survécu aux grandes pressions de la crise du début des années quatre-vingt. Ce que ces expériences ont révélé, c'est la grande précarité de l'économie québécoise. Derrière les « discours flatteurs », il y a une économie publique grevée de dettes, une économie privée lourdement hypothéquée par le fait que le tiers des étudiants ne finissent pas leur secondaire et que vingt-cinq entreprises au Québec accaparent à elles seules les trois quarts des budgets de la recherche industrielle recensée.

Comme le rappelait Gérald Tremblay, la productivité de l'économie québécoise, comme celle de l'économie canadienne, a été dans le peloton de queue des pays de l'OCDE : sur vingt-quatre pays, nous nous sommes classés antépénultièmes quant à la croissance de la productivité entre 1960 et 1990. Les

---

11. P. D'Iribarne, *La logique de l'honneur*, Paris, Seuil, 1989.

entreprises québécoises, au rythme où elles investissent dans la recherche et développement, vont rester à la remorque des technologies étrangères, et on ne voit pas comment un pays dont quarante pour cent de la population éprouve de sérieuses difficultés à lire va s'en tirer dans un monde où près des deux tiers des emplois vont exiger au moins douze ans de formation, et presque un sur deux au moins seize années d'études[12].

Face à ces défis, le volontarisme ne suffit pas. Revenir aux déclarations incantatoires de *Bâtir le Québec* (1979) ou du *Virage technologique* (1982) ne saurait satisfaire personne, mais il ne semble pas non plus que la stratégie des «grappes industrielles» de Gérald Tremblay ait réussi à «prendre». C'est peut-être qu'il faut bien plus à un projet collectif techniquement exposé sur papier pour qu'il s'incarne et devienne un projet mobilisateur. Trop souvent, les projets collectifs qu'on esquisse à partir d'un diagnostic bien simpliste des contraintes ne savent pas prendre en compte les hypothèques attachées au statut de petite socioéconomie ouverte, non plus que la nécessité de construire des racines socioculturelles profondes pour que ces projets greffés puissent vivre.

Comme l'expliquait Henri-Paul Rousseau, de la Banque laurentienne, la grande raison pour laquelle le niveau de vie et celui des salaires ont continué d'augmenter entre 1960 et 1990 vient de ce que les Canadiens ont bénéficié de «rentes à l'exportation de leurs ressources naturelles[13]». Or c'est un état de fait qui ne se perpétuera pas. Le prix mondial des ressources naturelles est en chute; si les Québécois veulent voir croître leur niveau de vie, il faudra donc que, de «rentiers», ils se transforment en «travailleurs compétitifs». Pour devenir concurrentiel dans une petite économie ouverte et balkanisée, il faut afficher des prix unitaires de main-d'œuvre qui croissent moins rapidement que ceux des concurrents. Et cela peut se

---

12. J. Fortin, *Québec – le défi économique*, Sillery, Presses de l'université du Québec, 1990; G. Tremblay, «Économie en état d'urgence», *La Presse*, 11-12 septembre 1991.

13. H. P. Rousseau, «De rentiers à travailleurs compétitifs», texte photocopié, 20 février 1992.

faire de diverses manières, soit par une hausse de la productivité par travailleur, soit par une baisse du salaire moyen, soit par les deux à la fois.

Voilà qui va forcer les citoyens à réduire substantiellement leurs attentes. Or, ce n'est pas le message qu'ils entendent de leurs dirigeants[14]. On nous a plutôt présenté la mutation en cours comme un simple cycle économique qui va se résorber plus ou moins automatiquement avec le retour de la croissance économique. On ne se rend pas compte que *l'environnement culturel de l'économie a changé*[15] : 1) les consommateurs consomment moins ; les entreprises réduisent les coûts et les prix pour satisfaire un consommateur nouveau genre qui aura un pouvoir d'achat moindre — certains ont parlé du « zen de la parcimonie » ; 2) comme les consommateurs consomment moins, que le revenu des entreprises a baissé et que celles-ci ont réduit leurs effectifs ou fait usage de plus en plus de contractuels, de vacataires, de pigistes, il y a eu baisse des recettes fiscales des gouvernements et augmentation des déficits et des dettes publiques. Il faut donc réduire les dépenses publiques parce que les citoyens refusent des augmentations de taxes ; 3) il s'en est ensuivi un appauvrissement de la population tant en termes de salaire privé que de salaire social : il y a eu précarisation des emplois, réduction du pouvoir d'achat, mais aussi obligation de plus en plus forte pour les citoyens d'assurer leur propre sécurité. Aux États-Unis, ce processus a déjà fait son lit dans les années quatre-vingt ; au Canada et au Québec, il commence ; 4) en conséquence, toutes sortes d'institutions sont en train de devenir caduques : que voudra dire un programme d'assurance-chômage quand les trois quarts de la main-d'œuvre seront des travailleurs autonomes ? Que signifie l'école publique quand le gros de ce que les Québécois ont besoin d'apprendre pour vivre et prospérer n'est pas appris en classe ?

Ces changements de valeurs, de comportements, d'institutions, vont encore diffracter la socioéconomie québécoise.

---

14. Voir Alain Dubuc, *La Presse*, 20 août 1994.

15. K. R. Hey, « Plus jamais comme avant », *Across the Board*, mai-juin 1992, p. 32-37.

On a beau déclarer que la croissance économique reviendra, et, avec elle, l'« ancien régime », ce ne sera pas le cas. Les derniers grands débats sur le rôle de l'État ont, en ce sens, un petit côté suranné. Une société diffractée a besoin d'État, mais d'un État différent, c'est-à-dire d'un État qui va intervenir comme armée de réserve pour aider en cas de besoin. Or, comme les besoins sont très différents, cette aide devra se matérialiser le plus « localement » possible — au niveau individuel d'abord, sinon au niveau local-régional, et seulement en dernière instance venir des intervenants provinciaux et fédéraux — parce que ce sont les instances les plus proches du citoyen qui savent mieux comment l'aider. Et ces interventions vont devoir reconnaître les réalités nouvelles : fini l'arrosage généralisé par des programmes universels quand les besoins sont à ce point idiosyncrasiques.

Un pari sur l'apprentissage

La tendance est claire mais l'accélération du changement des dernières décennies est déroutante. La socioéconomie québécoise s'est lentement diffractée au cours du dernier siècle. Elle est devenue une société temporaire et morcelée. Dans une société temporaire (c'est-à-dire où le changement est chronique), la réalité productiviste stable a disparu et la précarité est généralisée : c'est la fin de la famille stable, des emplois permanents pour la majorité, des règles du jeu bien établies, de l'État capable de jouer pleinement un rôle de suppléance. Partout, il faut s'adapter de plus en plus vite à des situations de plus en plus fluides. L'échelle agrandie des sociétés, l'interdépendance accrue par les télécommunications, et la vélocité du rythme des transformations technologiques, économiques, politiques et sociales ont augmenté dramatiquement le degré de turbulence de l'environnement et la mobilité des acteurs. Voilà qui a enclenché le déracinement, la séparation de plus en plus profonde des individus du groupe, la résurgence du travail autonome, la centralité renouvelée de l'entreprenariat, la prolifération de relations délibérément non permanentes. En conséquence, en l'absence de structures de rechange pour la famille, le lieu de travail, etc., le degré d'anomie et d'aliénation a monté dans les interactions humaines.

Cette atomisation de la société et cet éclatement en une multiplicité de sous-systèmes provisoires lancent des défis majeurs : les organisations et les sociétés doivent se transformer de plus en plus rapidement ou maîtriser de plus en plus vite la situation, face aux circonstances toujours changeantes. Il faut pour cela une bonne réactique, apprendre vite, et, comme nous apprenons plus vite collectivement qu'individuellement, il faut *un pari sur l'apprentissage organisationnel* — « une mentalité propre à encourager et à rechercher le changement, à récompenser l'initiative et, par là même, la volonté d'accepter les responsabilités personnelles que ce changement suppose [16] », mais aussi tout l'éventail des moyens à mettre en place pour y arriver.

Si l'accord est fait sur l'importance du défi, il n'y a pas unanimité sur les moyens pour apprendre vite organisationnellement. Nous sommes englués dans nos manières de vivre et souvent nous suivons des postulats dont nous ne sommes même pas conscients. C'est ce qui nous amène dans les débats publics à chercher partout les petits ajustements à la marge, l'amélioration de nos instruments politiques pour éviter les chevauchements ou colmater le système socio-économique tel qu'il existe.

Quand on fait face à une mutation importante de la socioéconomie, ces stratagèmes ne sauraient suffire. Il faut devenir imprudent. Il faut recadrer notre vision de l'économie et construire les institutions qui vont nous aider à mieux vivre dans la nouvelle économie. On est dans la situation de celui qui veut passer de l'autre côté d'un ravin : il doit sauter, pas moyen de « segmenter » ce geste risqué, c'est tout ou rien. Faire de petits sauts plutôt qu'un grand saut, c'est la parfaite recette pour le désastre.

16. A. M. Rugman et J. R. D'Cruz, *Aller de l'avant pour améliorer la compétitivité internationale du Canada*, Toronto, Kodak Canada, 1991.

La société de la valeur ajoutée est en face, porteuse de changement et donc de risque, elle est nécessairement accompagnée par la précarité : fini le monde du chien gras, c'est le monde du loup maigre, comme dirait Alexandre Vialatte. Autant le savoir.

Gaston Bachelard notait que «les connaissances longuement amassées, patiemment juxtaposées, avaricieusement conservées, sont suspectes. Elles portent le mauvais signe de la prudence, du conformisme, de la constance, de la lenteur.» Dans une société temporaire, comme la nôtre, ces vertus anciennes — prudence, conformisme, constance et lenteur — sont devenues des vices. Il faut miser sur de nouvelles manières de voir, sur le réseau, et sur le mouvement social de participation qui devra l'animer, et régler les problèmes organisationnels au fur et à mesure : d'ailleurs le mouvement est en train de s'auto-organiser. Mais ceux qui veulent catalyser ce processus vont devoir prendre des risques conceptuels et suivre Bachelard «le plus vite possible dans les régions de l'imprudence intellectuelle [17]».

17. G. Bachelard, *L'engagement rationaliste*, Paris, PUF, 1972, p. 11.

CHAPITRE 4

Penser la socialité au Québec

N'importe qui ne fait, ne pense et ne
dit pas n'importe quoi, n'importe
comment, à n'importe qui, n'importe
quand, n'importe où, dans n'importe
quelle situation, à n'importe quelle
fin, avec n'importe quel effet.

ULI WINDISCH

La socialité est « la capacité humaine à inventer des morphologies, des ciments sociaux qui fassent tenir les individus,
les réseaux et les groupes en ensembles stables et fonctionnels ». Elle se distingue de la sodalité (« la capacité humaine
à former des groupes [...] des unités d'action collective ») et
de la sociabilité (la capacité humaine à tisser des réseaux
d'échange d'idées, de mots, de biens, de coups)[1].

L'une des constantes inquiétantes des dernières décennies a
été que, tant au Québec qu'au Canada anglais, on en est arrivé
à penser la socialité québécoise strictement à travers une discontinuité — la mutation entre l'avant et l'après Révolution
tranquille. Le Québec serait ainsi passé d'une socialité ancrée

---

1. J. Baechler, *Précis de la démocratie*, Paris, Calmann-Lévy et UNESCO,
1994, p. 21.

dans la « tradition » à une socialité ancrée dans la « modernité ». Une analyse préliminaire montre que les perspectives apparemment les plus contrastées sont simplement des variantes de ce même cas de figure.

Après avoir esquissé un cadre d'analyse, nous voudrions montrer comment cette façon de penser la socialité permet de décoder les discours en vogue. Nous proposerons ensuite une approche de rechange dont nous préciserons les fondements, les mécanismes et les aboutissants. Voilà qui devrait non seulement permettre de réinterpréter le passage du Québec à la modernité mais encore de fournir certaines indications sur la sorte de socialité, en tant que *concept essentiellement contesté*, qui s'est cristallisée au cours du dernier siècle et ouvrir le débat à une meilleure prise en compte de la société spectrale dans laquelle nous naviguons.

Socialité et logique dominante

La notion de socialité n'est pas cristalline. C'est que ce ciment social que nous inventons peut prendre sa source dans des registres fort différents. Il peut s'agir d'un lien tissé par des monades rationnelles dont les décisions composent une trame d'interactions (et donc d'organisations et d'institutions) qui émergent strictement comme conséquence (voulue ou non, prévue ou non) de la poursuite rationnelle de leurs intérêts particuliers. Voilà qui expliquerait l'émergence d'un lien social de conflit-concours et de coopération (explicite et implicite) au sein d'un agrégat d'individus animés par la poursuite de leurs seuls intérêts individuels [2]. C'est la stratégie suggérée par un individualisme pur et dur.

On peut cependant construire le lien social sur des motivations entièrement différentes. Il existe tout un éventail de liens construits sur des normes qui débordent la théorie des

---

2. R. Axelrod, *The Evolution of Cooperation*, New York, Basic Books, 1984 ; F. Schick, *Having Reasons : An Essay on Rationality and Sociality*, Princeton, Princeton University Press, 1984.

choix rationnels et n'y sont pas réductibles. En anglais, on utilise le mot *bonding* pour désigner, de manière générique, les liens affectifs par lesquels on se rattache à l'autre, par lesquels on réduit l'autre à autrui (« ce qui est différent de moi, mais que je peux comprendre, voire assimiler »)[3]. Il y a évidemment une grande variété de patterns de *bonding* et de degrés d'intensité de ces relations dont certaines sont des liens tangibles sur le terrain des réalités alors que d'autres sont des relations symboliques sur le théâtre des représentations. C'est la stratégie qui émerge dès que l'on devient conscient du caractère incontournable des communautés d'action et de signification[4].

Ces patterns de *bonding* engagent les acteurs à choisir des actions qui ne sont pas forcément dans leur meilleur intérêt particulier (patterns d'obéissance à l'autorité, de réciprocité, etc.), prennent le pas sur l'intérêt égoïste et instaurent une *logique sociale*, un ensemble de relations sociales extra-individuelles. Ils s'incorporent dans des conventions ou usages qui servent d'encadrement mais donnent aussi des raisons d'agir qui débordent le cadre des choix rationnels usuels et même le marginalisent en devenant une logique de second degré qui oriente les décisions[5].

Ces patterns de *bonding* défient les classifications simples, mais on peut les répartir en familles selon trois axes. D'abord, on peut les classer selon que leur *domaine* est celui des réalités ou celui des représentations[6]. Ensuite, on peut les distinguer selon leur *substance*. Comme tout système social, ce ciment social est fait de trois éléments: structure, technologie et théorie[7].

---

3. M. Guillaume, « Spectralité et communication », *Cahiers du LASA*, nos 15-16, 1993, p.74-81 ; J. Baudrillard et M. Guillaume, *Figures de l'altérité*, Paris, Descartes et Cie, 1994, p. 10.

4. M. J. Piore, *Beyond Individualism*, Cambridge, Harvard University Press, 1995.

5. J. Elster, *The Cement of Society*, Cambridge, Cambridge University Press, 1989.

6. P. F. Tenière-Buchot, « Le tablier des pouvoirs », paru en cinq parties dans *Stratégique* (1986-1987), nº 30, p. 9-46; nº 31, p. 127-175; nº 32, p. 187-219; nº 33, p. 175-211; nº 34, p.129-158.

7. D. A. Schon, *Beyond the Stable State*, New York, Norton, 1971.

La structure est l'ensemble des rôles et relations entre les acteurs; la technologie constitue l'ensemble des procédures par lesquelles on mène le jeu; la théorie porte sur les modèles mentaux qui définissent les objectifs, les opérations et les ambitions du jeu. Enfin, on peut envisager ces patterns selon la *nature de la coordination* sur l'éventail qui va des valeurs et normes en passant par les standards techniques et les conventions jusqu'aux formes d'organisations et d'institutions[8].

Ces trois axes se recoupent et créent un espace dans lequel on peut explorer divers ensembles de patterns: depuis les plus simples, qui émergent du terrain des réalités, prennent forme dans des structures et technologies, et assurent une coordination par le truchement de mécanismes organisationnels (conduite à droite ou à gauche), jusqu'aux plus complexes, qui opèrent au plan symbolique, au cœur des représentations, donc sous l'autorité de la théorie, et qui s'incarnent dans des contrats moraux ou des relations de l'ordre de l'affect (comme un peu de reconnaissance symbolique dans les rapports interculturels)[9].

La dimension cognitive de ces arrangements est centrale mais elle a souvent été occultée. Dans un univers en évolution, la performance d'un système social est mesurée par sa capacité à apprendre et à se transformer. Or, alors qu'on a étudié à satiété le coin le plus formalisé de cet espace de la socialité, on en a négligé l'aspect symbolique et les transformations des représentations. En particulier, on n'a pas toujours reconnu les blocages imposés par des lectures réductrices de l'évolution de la trame des sociétés par les définisseurs de situation. L'apprentissage collectif peut être fondamentalement retardé si un regard trop réducteur réussit à s'imposer comme interprétation canonique. En fait, comme la socialité s'incarne dans un réseau complexe et toujours changeant de ciments sociaux, elle peut alors subir des torsions anémiantes sous l'influence d'une logique dominante réductrice[10].

---

8. P. Laurent et G. Paquet, *Épistémologie et économie de la relation. Coordination et gouvernance distribuée*, Paris, Vrin, 1998.

9. *Ibid.*

10. M. J. Piore, *op. cit.*

De manière générale, la *logique dominante* constitue une sorte d'armistice entre les contraintes géotechniques, émanant du terrain des réalités, et celles du monde subjectif des valeurs et des plans qui fondent le monde des représentations. Elle s'incarne dans un ensemble de relations hégémoniques qui vont adopter certaines institutions spécifiques en émergence et orienter l'adaptation des divers agents dans certaines directions quand la logique dominante est robuste[11]. Ces institutions (normes, conventions, etc.) qui incorporent la logique dominante pensent pour nous, imposent des classifications, se souviennent et oublient pour nous[12].

Bien qu'il ne soit pas toujours possible de décrire en détail la logique dominante, la socialité échappe rarement à son emprise. C'est une sorte d'emprise de structure qui englue la socialité dans des engrenages puissamment orientés. Les déformations introduites par idéologies, théories et interprétations sont importantes. En particulier, la dimension cognitive et formative de la socialité peut être modifiée par la logique dominante et induire des effets d'adaptation et d'adoption cumulatifs.

L'importance des interprétations de la socialité par l'intelligentsia (c'est-à-dire son explication des patterns de *bonding* qui survivent, de leur substance structurelle, technologique et théorique, ainsi que de la forme des ligatures qui durent) est assez mal comprise. On minimise souvent le rôle des définisseurs de situation en se contentant d'enregistrer les faibles effets d'écho qu'ils ont eus dans la représentation politique. C'est une erreur. Très souvent, c'est à travers la logique dominante que les effets de réverbération des *représentations canoniques* sont enclenchés.

---

11. C. K. Prahalad et R. A. Bettis, « The Dominant Logic: A New Linkage Between Diversity and Performance », *Strategic Management Journal*, vol. 7, 1986, p. 485-501, et « The Dominant Logic: Retrospective and Extension », *Strategic Management Journal*, vol. 16, 1995, p. 5-14 ; G. Paquet, « Institutional Evolution in an Information Age », dans T. J. Courchene (dir.), *Technology, Information and Public Policy*, Kingston, Bell Canada Papers on Economics and Public Policy 3, 1995, p. 197-229.

12. M. Douglas, *How Institutions Think*, Syracuse, Syracuse University Press, 1986.

L'un des impacts fondamentaux et pervers de la logique dominante vient de ce qu'elle n'a pas seulement un effet de redescription, mais un effet de structure sur la nature des argumentations. Une fois en place, les morphologies dont on dit qu'elles sont porteuses de stabilité et de fonctionnalité deviennent des opérateurs incontournables qui moulent les arguments de tous les intervenants dans le débat.

Pierre-André Taguieff a montré comment la raison raciste et la raison antiraciste étaient tombées dans un discours fort semblable même s'il est inversé : à chaque définition du racisme correspond un double antiraciste qui lui est consubstantiel [13]. La logique dominante a souvent un effet structurant sur tous les discours. C'est que la logique sociale est instituante. Sa cartographie du terrain des opérations grippe les adversaires dans des rapports canoniques et réversibles : les rapports et les ligatures que la socialité dessine conforment les représentations et les stratégies des groupes en présence d'une manière qui les rapproche plutôt qu'elle ne les éloigne. Cet effet paradoxal entraîne un fort degré de fausse conscience.

Ce genre de piège fait pourrir les délibérations, condamnées qu'elles sont à perpétuer un cas de figure. Il s'ensuit un enlisement des débats dans des positions antagoniques d'autant plus irréductibles que chacune donne son sens à l'autre en l'alimentant. Il ne peut en sortir qu'une escalade de la violence. On pense à cette nouvelle où Borges met en scène deux hommes qui se battent au couteau : l'arme devient la logique dominante et prend le contrôle des hommes qui y sont simplement attachés, et l'un et l'autre sont déchiquetés.

Ce qui plus est, pas question d'espérer beaucoup d'une simple inversion de la façon dont est pensé le lien social puisqu'une telle inversion ne fait rien de plus que de faire pivoter le carré sur son axe transversal. Pour sortir de l'enlisement et renouveler le débat sur la nature de la socialité, sur son évolution et sur ses transformations désirables, il faut d'abord exposer la logique dominante et son double, montrer

---

13. P. A. Taguieff, *La force du préjugé*, Paris, La Découverte, 1987.

comment elle piège le débat, et suggérer une perspective plus riche qui révèle à la fois les limites de la logique dominante et les pièges qu'elle tend.

On nous opposera qu'il y a évidemment danger que la nouvelle anamorphose ne puisse qu'engendrer une nouvelle logique dominante qui va elle aussi produire son double. Ce n'est cependant vrai que dans l'hypothèse où on laisse la logique dominante se chosifier. Nous verrons que, pour autant qu'on la pense dans son devenir historique, on peut échapper à ce sortilège.

Une vision culturaliste et ses pièges

Ce qui caractérise la socialité au Québec dans le discours canonique, c'est une discontinuité fondamentale qui hante les études sociales au Québec depuis une cinquantaine d'années. Selon ce chromo, jusqu'à une période récente, la socialité québécoise aurait été caractérisée par une série de ligatures *traditionnelles* auxquelles auraient succédé des ligatures *modernes*.

C'est le point de vue tout autant de l'intelligentsia québécoise que de l'intelligentsia anglo-canadienne, à ceci près que, alors que la première célèbre ce passage ou se plaint de ce qu'il ne se soit pas accompli aussi complètement et aussi tôt qu'on l'aurait voulu, à cause de blocages exogènes, la seconde suggère que ce passage ne s'est accompli que sur le tard à cause de certains traits résilients fondamentaux de la socialité québécoise traditionnelle, et qu'il y a constamment danger de rechute. Cette vision « culturaliste » de la socialité québécoise, symétrique chez les Québécois et les Anglo-Canadiens, marque encore la logique dominante en vogue.

Il est fascinant de voir l'importance qu'a la Révolution tranquille dans l'imaginaire collectif des Québécois. Dans les mots de Jocelyn Létourneau, elle leur permet de se présenter comme « héros de leur propre libération [14] ». On ne se rend pas

---

14. J. Létourneau, « La production historienne courante portant sur le Québec… », *Recherches sociographiques*, vol. 36, n° 1, 1995, p. 29.

toujours compte cependant qu'il s'agit là de la culmination d'une jobarderie par laquelle les Québécois ont emprunté aux Anglo-Canadiens leur image d'eux-mêmes et l'ont utilisée soit pour construire des confirmations des constats anglo-canadiens soit pour développer des stratégies d'émancipation. Dans les deux cas, cependant, on reste piégé par cette problématique exogène.

En histoire, Fernand Ouellet adopte *holus bolus* les thèses de Creighton et Lower sur la mentalité conservatrice des Canadiens français. En sociologie, Hubert Guindon les reprendra à son compte dans sa controverse avec Philippe Garigue, qui refusait ce chromo esquissé par Miner et Hughes à savoir que le Québec de la première moitié du vingtième siècle était une société rurale et conservatrice mal préparée à l'industrialisation. Marcel Rioux et Fernand Dumont ont mis des bémols et des dièses à la position Miner-Hughes, mais sans prendre leurs distances par rapport à cette caricature de la société québécoise d'avant la Révolution tranquille. Au plan politique, Pierre Elliott Trudeau tombera dans le même panneau dans son introduction au livre sur la grève de l'amiante et dans ses travaux subséquents [15]. Pour ces Québécois, le diagnostic anglo-canadien à la Lower est pris pour de l'argent comptant. Tant dans les documents ethnographiques, comme les copies d'étudiants de Jocelyn Létourneau [16], que politiques, comme le préambule au Projet de loi sur l'avenir du Québec (1995), la même problématique de retard par rapport à l'autre à la Lower perdure.

---

15. F. Dumont, *Genèse de la société québécoise*, Montréal, Boréal, 1993; P. Garigue, *Études sur le Canada français*, Montréal, Presses de l'université de Montréal, 1958; H. Guindon, *Quebec Society: Tradition, Modernity, and Nationhood*, Toronto, University of Toronto Press, 1988; F. Ouellet, *Histoire économique et sociale du Québec 1760-1850*, Montréal, Fides, 1966; M. Rioux, *La question du Québec*, Paris, Seghers, 1969; P. E. Trudeau, *La crise de l'amiante: une étape dans la révolution industrielle au Québec*, Montréal, Cité libre, 1956, et *Le fédéralisme et la société canadienne-française*, Montréal, Hurtubise, 1967.

16. J. Létourneau, art. cité.

Même si les études historiques ont miné cet édifice au cours des dernières années et montré que cette césure (et l'hypothèse misérabiliste qui a été construite dessus) ne tient pas la route, cela n'a pas transpiré dans l'inconscient collectif quotidien. La logique dominante empêche de penser véritablement la modernité au Québec autrement que par l'opération de la Révolution tranquille. On a gommé la lente progression de la modernité qui s'est accomplie *de facto* au Québec depuis le dix-neuvième siècle pour se réfugier, tant dans le monde anglo-canadien que chez les Québécois, dans le simplisme manichéen. En fait le succès des Ouellet, Guindon et Trudeau dans le monde anglo-canadien a été directement proportionnel à la ferveur avec laquelle ils venaient corroborer, par leurs témoignages de l'intérieur, la thèse de Lower [17].

Cette manière de voir a pourtant le défaut d'engluer le débat dans une dichotomie artificielle. Elle consacre l'image d'une socialité traditionnelle, antimoderne et antidémocratique du Québec d'avant la Révolution tranquille. Il s'ensuit un noircissement systématique de l'avant, une célébration de la rupture, une complaisance dans la lecture de l'après, et un éternel retour sur les explications du retard et du rattrapage qui font que l'évolution naturelle de l'identité québécoise et l'avènement normal de la modernité au Québec y sont occultés.

On est amené à chercher des voies de sortie de crise d'identité soit dans une « anglo-saxonisation » mentale du Québec par la célébration exclusive des droits individuels et l'assimilation à l'*ethos* anglo-saxon, soit par un projet souverainiste qui rebâtirait sur le socle d'un collectivisme étroit et fondamentalement ethniciste, sur la société québécoise tricotée serrée.

Ces deux positions sont dictées par la même problématique et ne sont que l'image inversée l'une de l'autre: ce sont des

---

17. G. Paquet, « Hubert Guindon, hérisson », *Recherches sociographiques*, vol. XXX, n° 2, 1990, p. 273-283, et « Marcel Rioux, situationologue, ou de l'incommensurabilité des manières d'être », dans J. Hamel et L. Maheu (dir.), *Sociologie critique, création artistique et société contemporaine. Hommage à Marcel Rioux*, Montréal, Saint-Martin, 1992, p. 121-144.

stratégies d'assimilation et de repli qui laissent peu de place à un examen serein des progrès d'une identité québécoise ouverte et pluraliste, en marche depuis longtemps, mais occultée à tous les passages parce que contredisant violemment les simplifications qui conviennent aux deux clans ennemis.

Le malheur est que cet enlisement ne semble pas près de finir. Les débats politiques actuels perpétuent un manichéisme en noir et blanc. La logique dominante semble refuser catégoriquement d'assumer comme seule représentation valable de l'expérience québécoise un aller-retour constant entre tradition et modernité depuis un siècle. Voilà qui empêche la prospection d'une évolution qui a toujours gardé ouverte une passerelle entre la tradition et la modernité, bloque la possibilité de reconnaître la continuité qui a permis aux Québécois de maintenir leur lien social et leur rapport au collectif tout en absorbant l'*ethos* démocratique, entrepreneurial et moderne dans la définition d'une identité plurielle, ouverte, intégrante et syncrétique, et ferme la porte à des stratégies de sortie de crise d'identité qui voudraient déborder le choix simpliste entre le projet souverainiste et le carcan fédéraliste.

Une anamorphose aventureuse

Pour sortir de cette ornière, il faudra déconstruire une quarantaine d'années de travaux en sciences humaines sur le Québec pour en montrer les fondements meubles. C'est un travail qui est déjà en chantier [18]. Mais cela ne saurait suffire. Il faut encore pouvoir suggérer une approche de rechange, un nouveau cadre d'interprétation qui ait une cohérence suffisante. Nous en présentons un sous forme d'hypothèse. Il devra évidemment être corroboré par un travail détaillé de ré-interprétation des faits et des documents sur lesquels ont voulu s'appuyer les textes canoniques de l'approche traditionnelle. Cela dit, il

---

18. L. Cardinal *et al.*, *La Révolution tranquille et les sciences sociales*, textes photocopiés, 1995.

serait malhonnête d'immuniser cette hypothèse en l'articulant d'une manière archiprudente. Aussi avons-nous décidé d'en donner une formulation aventureuse qui l'expose plus clairement à la critique mais qui est davantage susceptible de provoquer des débats fructueux.

Trois postulats

Nous mettrons d'abord en avant trois postulats qui prennent délibérément le contrepied de ceux qui ont été proposés par l'interprétation en vogue. Ils nous semblent bien plus raisonnables et crédibles, à la lueur de l'historiographie des vingt dernières années, que ceux qu'ils remplacent. En effet, les résultats des travaux hérétiques qui sont venus contester les interprétations canoniques sont suffisamment probants pour qu'il ne soit plus possible de les repousser du revers de la main. Même si ce n'est pas le lieu ici pour présenter de manière détaillée ces trouble-fête, nous en mentionnerons quelques-uns au passage.

Le premier postulat en est un de rationalité. L'interprétation culturaliste suggère de manière plus ou moins explicite qu'alors que les Anglo-Canadiens sont doués d'une forte *Zweckrationalität* les Québécois en seraient privés. Ce postulat est souvent camouflé derrière l'idée de «mentalité conservatrice», mais il montre son vrai visage dans les travaux de Fernand Ouellet pour qui l'idée même qu'on puisse prêter aux habitants québécois un minimum de rationalité instrumentale est condamnée comme un mythe [19].

L'intérêt de revenir aussi loin en arrière tient au fait que, si l'on peut faire la preuve que cette caractérisation ne tient pas pour la fin du dix-huitième siècle, *a fortiori* elle aura peu de crédibilité pour une période plus moderne. Or, nous avons fait la démonstration que non seulement l'habitant était rationnel, mais qu'il opérait déjà habilement dans des marchés à termes dès la fin du dix-huitième siècle et qu'il avait une stratégie

---

19. F. Ouellet, «Le mythe de "l'habitant sensible au marché"», *Recherches sociographiques*, vol. XVII, 1976, p. 115-132.

foncière fort astucieuse [20]. Au dix-neuvième siècle, on peut encore plus facilement étayer le même postulat [21].

Le deuxième postulat est celui du capital communautaire. Dans les croquis proposés par la sagesse conventionnelle, toute la dimension communautaire est présentée comme une vaste hypothèque qui empêche la rationalité instrumentale et les jeux du marché de s'accomplir. C'est cette hypothèque qui, venant s'ajouter au conservatisme congénital et à la mentalité d'Ancien Régime des Québécois, expliquerait leur retard économique.

Or il nous semble que cette « absolutisation » de la rationalité instrumentale et du marché est malvenue. On peut en effet montrer que, depuis les travaux d'Adam Smith, il a été établi non seulement que toutes les économies sont encastrées dans un capital communautaire qui leur sert de point d'ancrage et de support, mais que c'est justement l'absence de ce capital communautaire qui est à la source des difficultés économiques [22]. L'enracinement communautaire, loin d'être forcément un handicap, est habituellement une source importante de tonus économique et social. Voir dans le bagage institutionnel

20. Voir de G. Paquet et J.-P. Wallot, « Crise agricole et tensions socio-ethniques dans le Bas-Canada au tournant du dix-neuvième siècle », *Revue d'histoire de l'Amérique française*, vol. 26, n° 2, 1972, p. 185-237 ; « La stratégie foncière de l'habitant : Québec (1790-1835) », *Revue d'histoire de l'Amérique française*, vol. 39, n° 4, 1986, p. 551-581 ; et *Le Bas-Canada au tournant du 19ᵉ siècle : restructuration et modernisation*, Ottawa, Société historique du Canada, brochure 45, 1988.

21. G. Paquet, « La citoyenneté dans la société d'information : une réalité transversale et paradoxale », *Mémoires de la Société royale du Canada*, sixième série, tome V, 1994, p. 59-78.

22. E. C. Banfield, *The Moral Basis of a Backward Society*, New York, Free Press, 1958 ; F. Hirsch, *Social Limits to Growth*, Cambridge, Cambridge University Press, 1976 ; A. M. Ramos, *The New Science of Organizations*, Toronto, University of Toronto Press, 1981 ; J. S. Coleman, « Social Capital and the Creation of Human Capital », *American Journal of Sociology*, vol. 94 (Supplement), p. S95-S120 ; R. D. Putnam, *Making Democracy Work*, Princeton, Princeton University Press, et « Bowling Alone », *Journal of Democracy*, vol. 6, n° 1, 1995, p. 65-78 ; B. Barber, « All Economies are Embedded : The Career of a Concept and Beyond », *Social Research*, vol. 62, n° 2, 1995, p. 387-413.

traditionnel un empêchement à performer, une source de ralentissement économique conduit à considérer le délestage de ces institutions comme un progrès vers la modernité alors que c'est seulement un dérapage vers une absolutisation malheureuse du marché.

De nombreux travaux ont montré comment le capital communautaire des Québécois les avait bien servis et comment il est à la source de nombreuses percées [23]. Nous sommes donc amenés à suggérer qu'il faut une meilleure appréciation de l'importance du capital communautaire comme soubassement de l'appareil économique et donc à déplorer l'érosion et la dilapidation du capital communautaire engendrées par la Révolution tranquille dans ses ardeurs à liquider tout l'acquis construit autour des pôles communautaires et religieux. On commence à peine à comprendre l'impact de cette dilapidation dans les études sur les communautés religieuses par exemple et à réaliser que l'individu ne s'accomplit que dans des communautés d'action et de signification, que politique, économie et société ne se constituent que par l'interaction de ces communautés [24]. Voilà qui suggère que l'on a singulièrement sous-estimé la contribution du capital communautaire et de la tradition à l'instauration de la modernité au Québec.

Le troisième postulat est celui des identités multiples. Ce qui marque le plus clairement l'interprétation canonique est l'univocité des identités. On simplifie à l'extrême au point de tomber non seulement dans le « type idéal » mais dans le « goût du chromo ». Même les meilleurs historiens en sont arrivés à parler de type bureaucratique et de type mercantile pour caractériser les deux camps [25]. C'est trop simple. On peut repérer

23. G. Paquet, *Histoire économique du Canada*, radioscopie de vingt-cinq émissions de soixante minutes diffusées en automne-hiver 1980-1981, Montréal, Radio-Canada, et « Pour une notion renouvelée de citoyenneté », *Mémoires de la Société royale du Canada*, cinquième série, tome IV, 1989, p. 83-100.

24. M. J. Piore, *op. cit.*

25. A. Faucher, « La dualité canadienne et l'économique » (1960), dans A. Faucher, *Histoire économique et unité canadienne*, Montréal, Fides, 1970, p. 145-160.

depuis les débuts de la société québécoise une tendance importante à développer de multiples identités limitées (ethnique,
régionale, culturelle, etc.) qui se sont cristallisées plus ou
moins vite et avec plus ou moins de bonheur selon les divers
segments de la communauté. La trame de la communauté
québécoise doit se lire depuis longtemps comme un
palimpseste (sorte de parchemin qu'on gratte imparfaitement
pour pouvoir y réécrire et qui contient donc toujours plusieurs
textes superposés plus ou moins mêlés)[26]. Ces identités
multiples (et donc limitées), qu'on retrouve non seulement au
Québec mais au Canada depuis fort longtemps, sont des
éléments importants de modernité qui ont été occultés dans les
travaux braqués sur les comparaisons entre types idéaux ou sur
la transsubstantiation de l'un (considéré comme traditionnel)
en l'autre (considéré comme moderne).

Trois mécanismes

Ces agents socioéconomiques rationnels que sont les Québécois, armés d'un capital communautaire important et capables
de vivre la tension entre une multiplicité d'identités limitées
(ce qui est fort moderne), vont développer, tout au cours du
dernier siècle, une socialité non pas tricotée serrée, comme on
l'a souvent affirmé, mais tissée d'une manière fort lâche. Alors
qu'on s'est complu à définir la socialité québécoise comme
celle d'une tribu, par opposition à la socialité de marché des
Anglo-Canadiens, il nous semble plutôt qu'elle s'est articulée
depuis longtemps autour de trois mécanismes fort modernes.

Notre hypothèse majeure est en effet que la socioéconomie
québécoise, en se confrontant de manière entrepreneuriale aux
multiples défis qui ont barré sa route, en est arrivée à devenir
une socioéconomie *spectrale* — à la fois décomposable et évanescente. Elle l'est et le devient de plus en plus. Il en résulte
une socialité nouvelle où se croisent « des spectres qui ne se

---

26. G. Paquet et J.-P. Wallot, « Nouvelle France/Québec/Canada : A
World of Limited Identities », dans N. Canny et A. Pagden (dir.), *Colonial
Identity in the Atlantic World*, Princeton, Princeton University Press, 1987,
p. 95-114.

connaissent pas ». Dans la société d'information en train de s'installer, c'est dans un certain anonymat que se tissent des liaisons débarrassées des rituels d'identification et donc des règles ordinaires de civilité puisque le contrôle social communautaire a disparu. On connaît déjà cet anonymat dans le monde de la Citizen's Band ou des messageries télématiques. Mais la spectralité n'a pas seulement valeur « fantomatique », elle a valeur « prismatique » : le spectre est aussi décomposition en plusieurs éléments. « Être spectral, c'est être à plusieurs faces, et n'engager qu'une face dans l'interface communicationnelle[27]. »

Dans la société d'information, la spectralité comme mode d'être (évanescence et dispersion du sujet) modifie « les sensibilités, les comportements et les rapports sociaux globalement, bien au-delà des dispositifs techniques, bien au-delà des usages de la communication[28] ». Dans le langage de Guillaume, « l'assignation à une identité est en quelque sorte esquivée, progressivement écartée » : nous devenons « les produits de nos relations virtuelles » et la nouvelle socialité commutative devient de plus en plus « fondée sur un "relationnisme" généralisé ».

Cette caractéristique d'évanescence et de diffraction hante la réalité sociale, économique et politique dans la société d'information et engendre un fort coefficient de déconnexion et de dispersion. Chacun peut se débrancher, échapper à l'identité définie. Cette dérive implique une véritable métamorphose des rapports sociaux, mais la cartographie des implications extraordinaires de l'anonymat dans cette équation est restée fort prudente pour éviter les accusations d'utopie. Malgré tout, on a maintenant quelques croquis suffisamment clairs pour mesurer l'étendue de la métamorphose en train de se produire[29].

Dans un monde d'identités multiples et éclatées, et donc d'appartenances multiples, hanté nécessairement par le paradoxe,

27. M. Guillaume, *La contagion des passions*, Paris, Plon, 1989 ; J. Baudrillard et M. Guillaume, *op. cit.*, p. 34.

28. M. Guillaume, *op. cit.*, p. 33.

29. M. Estabrooks, *Programmed Capitalism*, Armonk (New York), M. E. Sharpe, 1988 ; M. Gaudin, *Les métamorphoses du futur*, Paris, Economica, 1998.

la diffraction des sujets va obliger à construire la socialité nouvelle par morceaux (au plan social, politique, économique, etc.) avant de songer à une nouvelle socialité intégrée. Le rapport à l'autre devient un système de *commutation*. Il s'agit d'organiser une cohabitation avec commutation, c'est-à-dire avec « des dispositifs qui permettent de frôler, de côtoyer, de rencontrer l'autre de manière partielle, éphémère et souvent superficielle en fonction de contrats constamment négociés et renouvelés, donc de contrats instables, mouvants, qui constituent une nouvelle forme de gestion, non pas de l'autre, mais de l'autrui, c'est-à-dire ce qui dans l'autre n'est pas moi mais ce que je suppose être compatible, comparable, commensurable avec moi-même [30] ».

Le contexte spectral et diffus va donc engendrer des « identités emboîtées : celle de la ville ou de la province, et de la nation [31] » — avec la possibilité d'autres étages. La construction d'une nouvelle socialité va donc être une opération nécessairement complexe et paradoxale parce que donnant lieu à des « hiérarchies enchevêtrées [32] ».

Cette tendance à définir la culture moins selon certains traits homogènes que selon un « système de différences partagées que ses membres reconnaissent [33] », on la retrouve au Québec depuis longtemps. S'il est vrai que les rapports ethnoculturels ont été récrits à de multiples reprises au Québec et qu'il a fallu composer libertés individuelles et droits culturels collectifs d'une manière souvent inédite, les Québécois ont développé une capacité à construire une identité marquée au coin de l'hétérogène que confirment les « psychanalyses » récentes qu'on a faites d'eux [34].

Troisième mécanisme : *les normes et les conventions*. Il n'y a peut-être jamais eu de « communauté organique » comme celle

30. M. Guillaume, art. cité, p. 79.

31. C. Millon-Delsol, *L'irrévérence*, Paris, Mame, 1993, p. 272-273.

32. D. Hofstader, *Gödel, Escher, Bach*, New York, Basic Books, 1979.

33. L. Drummond, « Analyse sémiotique de l'ethnicité au Québec », *Questions de culture*, n° 2, 1981-1982, p. 139-153.

34. G. Paquet, « Pour une notion renouvelée de la citoyenneté », *Mémoires de la Société royale du Canada*, cinquième série, tome IV, 1989, p. 83-100, et « L'état-stratège », dans J. Chrétien (dir.), *Recherche de convergences,*

qui sert encore de référence pour l'avant Révolution tranquille, mais il est certain que la socialité a évolué et que sa longue marche a balisé des lieux de conversation, des communautés d'action qui ont été la résultante de forces tirant dans diverses directions. Il ne pouvait en être autrement car la socialité est une *conception essentiellement contestée* : un concept appréciatif, complexe, qui se prête à des descriptions diverses, ouvert à des modifications selon les circonstances, objet de débats susceptibles d'en améliorer la conception dans la pratique [35].

Les normes et conventions qui constituent le ciment social sont donc débattues continuellement et les débats que la socialité engendre ne sont pas passagers, parce que la notion n'est pas univoque. C'est cette fluidité du concept et son flou qui vont le rendre utile puisque son contenu peut accommoder des philosophies variées. L'issue des débats n'est d'ailleurs jamais claire. Qui saurait dire si une philosophie va prévaloir au Canada ou au Québec, et laquelle, se demandait en 1992 Raymond Breton : « Quelle philosophie des droits triomphera : celle du "sans égard à" ou celle de "la prise en compte de", laquelle intègre, à la structure même des institutions, la diversité ethnique, religieuse, régionale, linguistique, etc. ? Nous avons ces deux philosophies au pays, et cela pourrait être une force [36]. » Ce ne saurait être le résultat d'un pacte seulement rationnel.

D'abord, derrière les accords, il doit y avoir un rapport affectif. Derrière les droits et obligations, il y a une idée de bien commun. Ensuite, la socialité connote un lieu d'identité, un lieu d'appartenance. Enfin, il ne suffit pas dans la construction des institutions de réarticulation de chercher des structures performantes, il faut surtout des structures « habitée[s] par nos

---

Hull, Voyageur, 1992, p. 91-111 ; J.-F. Lisée *et al.*, « Qui sommes-nous ? Anatomie d'une société distincte », *L'Actualité*, janvier 1992, p. 19-53.

35. A. M. Sears, Témoignage devant le Comité sénatorial permanent des affaires sociales, des sciences et de la technologie, le 19 mai 1992, rapporté dans les délibérations du comité, Sénat du Canada, 3e session de la 34e législature, fascicule 8, 1992.

36. R. Breton, *ibid.*, p. 20 et suiv.

certitudes intérieures», des structures dans lesquelles chacun va reconnaître sa «culture réalisée», «la connivence qui rend possible la communauté». Or ces connivences sont difficiles à construire quand les premiers principes sont tellement éclatés que l'agir ensemble devient problématique[37].

Trois dérives

Progressivement au cours des cent dernières années, l'économie est devenue davantage synergétique; la société québécoise s'est spectralisée et méso-tribalisée (c'est-à-dire qu'elle s'est dissoute en une grande variété de communautés virtuelles, ouvertes, polycentriques et protéiformes, largement construites sur des réseaux de communication et d'information, et entre lesquelles les citoyens ont dispersé leurs appartenances); la politique a évolué plus lentement à cause de l'inertie des institutions mais s'est déplacée d'une démocratie représentative, centralisée et hiérarchisée vers une démocratie participative, directe et davantage axée sur les méso-groupes et les réseaux qui pourraient bien aboutir à un monde de mille «pays[38]». La socialité qui correspond à ces nouvelles réalités est conséquemment devenue davantage distribuée, décentralisée, collaborative mais surtout adaptive et évolutionnaire[39].

La notion de socialité qui s'est développée au Québec est de ce type. Son flou est consubstantiel à sa nature essentiellement contestée et elle souffre obligatoirement d'incomplétude, comme la ville qui ne sait pas encore ce qu'elle sera[40]. Certains dénoncent cette incomplétude comme une sorte d'inachèvement condamnable, comme si c'était seulement une incapacité à se donner les moyens de la part de ceux qui savent. C'est là un réflexe de gouvernant frustré qui voudrait tout quadriller et

37. C. Millon-Delsol, *op. cit.*

38. Y. Masuda, *Managing in the Information Society*, Oxford, Basil Blackwell, 1990; J. Naisbitt, *Global Paradox*, New York, William Morrow & Company, 1994.

39. K. Kelly, *Out of Control*, Reading (Mass.), Addison-Wesley, 1997, p. 189 et suiv.

40. M. Fixot, « Ville et citoyenneté: le brouillage », *Cahiers du LASA*, nos 15 et 16, 1993, p. 92.

normaliser alors qu'il faut laisser aux générations futures leur droit de participer à la construction.

Dans le cas du Québec, on peut faire un certain nombre de constatations. Malgré les contorsions qu'on a voulu faire subir à l'histoire, il est devenu clair, dans certains travaux des vingt dernières années, que le Québec n'a pas attendu le passé récent pour se donner une *référence moderne*. Dès la fin du dix-huitième siècle, il existe une maturité politique au Québec qui permet à la communauté québécoise de se donner accès à une conscience moderne tout en ne trahissant pas son terroir. L'éclatement des formes traditionnelles de vie par la modernité n'élide pas le lien social : les individus gardent souvent un certain rapport à la communauté qui n'est plus entier mais parcellaire — aux identités multiples correspondent des communautés multiples dont la trame n'a plus rien de traditionnel.

Cette référence moderne est tout aussi vigoureuse et consciente quand elle se donne accès au moderne dans le respect de l'appartenance affective ou l'intégration politique. Vouloir banaliser les éléments de conscience qui ont existé dans les groupements d'appartenance et d'intégration, comme le fait Fernand Dumont, et déclarer que ce genre de « conscience » n'est pas fondatrice, c'est affadir et aplatir la réalité [41].

Les forces mentionnées plus haut ont déjà donné naissance à une socialité particulière au Québec, et ce depuis le second tiers du dix-neuvième siècle. Nous en avons documenté les caractères distinctifs dans ses commencements. On voit bien, dans le projet des patriotes de 1837, les germes d'une stratégie de développement décentralisée à l'américaine qui heurtait de front la stratégie centralisée de développement favorisée par le Canada anglais.

La dérive n'a fait que s'accentuer depuis. Ce qui fait que le portrait de la socialité québécoise présenté en 1992 par *L'Actualité* peut sans surprises présenter le Québec comme *une des sociétés les plus postmodernes* au monde. On détecte dans ce

---

41. F. Dumont, *op. cit.* ; G. Paquet, « Fernand Dumont, *magister ludi* », *Recherches sociographiques*, vol. 36, nº 1, 1995, p. 111-116.

dossier une façon de vivre propre au Québec qui a déjà intégré pleinement l'héritage d'un siècle de spectralité et de commutation.

Les balises imposées par une notion étriquée de rationalité comme la *Zweckrationalität* peuvent servir de bornes à l'analyse canonique et suggérer des découpages ou imposer des stratégies de rattrapage, mais la réalité est moins manichéenne. L'absolutisation des valeurs de calcul n'y a aucun sens. C'est la *Wertrationalität*, la rationalité quant à la valeur ou la rationalité substantive imbibée de valeurs, qui domine. La tension continue qui existe entre les individus et leurs multiples affiliations ne peut faire autrement que de dicter une société multicentrique où chaque enclave est justiciable d'une logique ou rationalité différente marquée évidemment par la proxémie [42]. La gouvernance a le défi d'établir des articulations heureuses entre ces *enclaves* dont les logiques dominantes ne sont pas les mêmes.

Le Québec, socioéconomie spectrale, vit ce démembrement moderne depuis plus d'un siècle, non pas comme un calvaire mais comme une évolution naturelle qui accompagne l'émergence de contextes variés nécessaires à l'épanouissement d'une communauté bariolée. Sa cartographie révélerait non pas une socialité homogène mais un ensemble de bricolages communautaires articulés en un réseau interactif réfractaire à l'hégémonie d'une logique quelconque.

Dans ce contexte, la socialité reprend le rôle qu'elle avait pour Adam Smith : elle devient un substitut pour la raison raisonnante et calculatrice et est une courtepointe de « rationalités quant à la valeur », de rationalités substantives ancrant l'action dans la reconnaissance de valeurs qui sont des compas à cause de leur importance intrinsèque [43]. Ces « rationalités substantives » sont des boussoles profondément intégrées au

---

42. M. Maffesoli, *Le temps des tribus*, Paris, Méridiens Klincksieck, 1988.

43. M. Weber, *Economy and Society*, Los Angeles, University of California Press, 1978 ; K. Mannheim, *Man and Society in an Age of Reconstruction*, New York, Harcourt Brace, 1940 ; A. M. Ramos, *op. cit.*

système de valeurs. Cette socialité complexe intègre un rapport à la tradition, à l'histoire, à un ordre communautaire qui dépasse l'individu sans pourtant lui nier un mode propre d'exploration de la modernité avec et à travers sa mentalité particulière. Plus de développement linéaire de la tradition à la modernité dans ce scénario ; plus de rupture brutale non plus, mais l'évolution de représentations plurielles.

Une certaine fatigue culturelle

Nous avons brossé un premier tableau de ce long voyage qui va amener le Québec à devenir moderne à sa manière, et ce bien avant la Révolution tranquille. Sans reprendre ici ce périple, disons simplement que notre diagnostic est que le Québec a vécu ce long voyage vers la modernité d'une manière plurielle et chaotique qui ne ressemble en rien à l'interprétation canonique qui voudrait que tout soit venu de la grande rupture de la Révolution tranquille.

Notre chronique est moins triomphante et beaucoup plus compliquée. Nous croyons que la route a été beaucoup plus longue qu'on ne le pense généralement, que le Québec a négocié le virage vers la modernité bien plus tôt qu'on ne le dit, qu'il l'a fait d'une manière idiosyncrasique, et qu'il s'est donné une socialité moderne, peut-être même plus moderne que celle qui prévaut dans le reste du Canada.

Au lieu de chercher par tous les moyens, avec les uns, à encadrer le Québec pour éviter qu'il retombe dans l'ornière des valeurs communautaires traditionnelles et du nationalisme — dont on dit qu'il est ferment de régression sociale — ou, avec les autres, à compléter l'émancipation du Québec par un progressisme qui commande de se donner accès à la souveraineté, on pourrait comprendre, premièrement, que le Québec est déjà moderne et même postmoderne, que, deuxièmement, on peut être moderne sans rompre avec son passé et que les premiers sont donc malvenus de vouloir protéger les Québécois de leur passé, et, troisièmement, qu'un rattrapage n'est peut-être pas nécessaire puisque le Québec est déjà moderne, et que, donc, le

projet souverainiste des seconds n'est peut-être pas le détour
obligé d'un processus d'émancipation lui-même imaginaire.

Mais secouer la logique dominante, recadrer des débats qui
ont englué le gros de l'intelligentsia depuis plus de trente ans
n'est pas simple. Changer la problématique équivaudrait à
liquider trente ans de capital intellectuel canonique dans lequel
beaucoup se sont investis et requerrait des investissements
importants pour construire des représentations de rechange. Or
nous sommes à un moment de grande fatigue culturelle de tous
les côtés. Cela empêche un débat de fond sur les liens de la
tradition et de la modernité au Québec et donc sur la socialité
plurielle du Québec contemporain.

On présente donc comme de véritables travaux d'Hercule
la défense et illustration d'une socialité qui réussirait à
construire un ciment social résistant à partir de liens ténus[44],
alors même que c'est exactement ce que le Québec est en train
d'accomplir, bien lentement il faut le dire, mais sûrement, sans
qu'on s'en rende compte. Quand on débat de la socialité
québécoise, on est encore au stade du déni. Il y a eu éclatement
du substrat socioéconomique et réarticulation de la socialité
autour de liens ténus qui effectivement tiennent réseaux et
groupes en ensembles stables. Il y a en place un système de
cohabitation avec commutation. Mais l'admettre pour
l'intelligentsia semble aussi difficile que de faire la critique de
l'État-providence ou que de repenser la démocratie.

C'est que ces nouveaux ciments sociaux dépendent moins de
la raison que des rites, des habitudes, des conventions. Le rite,
en ce sens, comme l'explique Michel Maffesoli, est à l'opposé de
la raison universelle, en ce qu'il s'applique seulement à une
tribu, à des circonstances données. Voilà qui explique peut-être
l'importance des gestes formalisés et des rapports de politesse
— les katas — comme expression de la sensibilité collective
dans une société aussi postmoderne que celle du Japon[45].

---

44. M. Granovetter, « The Strength of Weak Ties », *American Journal
of Sociology*, vol. 78, 1973, p. 1360-1380.

45. M. Maffesoli, *La transfiguration du politique*, Paris, Grasset, 1992.

L'idée d'un ordre social à dominante empathique construite sur le tact et la civilité peut faire peur parce qu'il s'agit d'un substrat bien fragile ; construire sur des solidarités organiques faites d'identifications fluides, de tribus virtuelles, peut inquiéter. Mais la société programmée implose. Les citoyens retirent de plus en plus à leurs gouvernants leur consentement à être gouvernés. Il faudra donc à plus ou moins longue échéance reconnaître la socialité induite par le réseau qui renvoie à un ciment social mince enfibulé par la proximité et l'affectuel [46].

Dans cet univers, il est possible que pendant un moment encore se perpétue un schéma d'interprétation qui a cessé d'avoir toute valeur explicative simplement pour faire l'économie d'un débat qui ne saurait être que meurtrier puisqu'il menace de déconsidération de nombreux travaux canoniques. Pour exorciser bruits et fureurs, et parce que l'intelligentsia tout comme la classe politique sont fatiguées, on s'enlise dans des débats académiques creux autour de réalités imaginaires qui ne sont pas sans rappeler les débats de la fameuse Académie de Lagado dont Jonathan Swift parle avec tellement de chaleur dans ses *Voyages de Gulliver* : au cœur d'un royaume en ruine, les académiciens concentrent leurs efforts sur la solution de problèmes aussi cruciaux que la manière d'extraire des rayons de soleil des concombres.

Il est assez surprenant de constater que les mêmes travers qui polluaient les débats au temps de John Dewey semblent continuer de les engluer. C'est contre la tentation plotinienne de tout réduire à une cause unique et contre la purification galiléenne qui voulait qu'on s'extirpe de l'expérience quotidienne pour mieux comprendre que les travaux de John Dewey ont construit une philosophie du complexe et du pratique. Il semble bien qu'il faille commencer à relire Dewey puisque son combat demeure aussi le nôtre.

Alors que la socialité québécoise a évolué vers sa version postmoderne sans difficulté, ses chroniqueurs semblent incapables de le reconnaître et de le dire. On s'enferme dans un

---

46. M. Maffesoli, *Le temps des tribus, op. cit.*

discours simplificateur soigneusement éloigné de la vie quotidienne par simple paresse culturelle. Si on ne cherche pas à
repérer le mieux possible cette nouvelle socialité en émergence,
il n'est pas possible d'en faire bon usage. Or, s'il est un danger
important, c'est de voir cette socialité rester dans le maquis. Il
y a urgence à la mettre en visibilité et à en faire bon usage.

Le défi majeur est de cerner d'un peu plus près la socialité
québécoise contemporaine en la situant dans son devenir historique. Idéalement, c'est un chantier qu'il faudrait ouvrir après
avoir complété la critique des travaux canoniques et après avoir
mis en place tout le dossier documentaire qui vient corroborer
nos hypothèses. Mais le temps presse, et il nous semble utile de
souligner trois pistes prometteuses susceptibles de nous aider à
bricoler un croquis préliminaire de la socialité québécoise
contemporaine.

La première piste prend sa source dans la continuité d'une
inspiration corporatiste, dans les représentations politiques et
dans la psyché québécoise au cours des deux derniers tiers du
vingtième siècle. Cette riche tradition sous-tend une représentation fonctionnelle de tous les secteurs économiques et
sociaux, institutionnalisée dans les structures de l'État où cette
représentation et cette institutionnalisation visent à la codéter-
mination des programmes et des actions des partenaires. Or
l'on peut dire que l'ouvrage de Clinton Archibald montre de
manière assez convaincante que son hypothèse de départ est
défendable : « Peu importe l'écart entre la théorie et la pratique
corporatistes, au Québec, dans la période observée, et peu
importe les degrés de représentation, d'institutionnalisation et
de codirection politique, l'attrait des moyens corporatistes
pour unir les citoyens de la province, pour créer une sorte de
sentiment d'appartenance collective et pour limiter les antago-
nismes naturels de classe, d'ethnie ou même de sexe, a toujours
été présent[47]. »

Du corporatisme religieux et des expériences de concertation des années trente au corporatisme politique des années

---

47. C. Archibald, *Un Québec corporatiste ?*, Hull, Asticou, 1984, p. 50.

soixante-dix, à Québec inc. et à Bélanger-Campeau, l'aménagement sociocorporatiste constitue un élément important de la socialité québécoise.

La seconde piste part des travaux de littéraires sur la construction de ce qu'ils appellent l'*identitaire*[48] mais est congruent avec certaines démarches sociopsychologiques parallèles[49]. L'identitaire est un concept en émergence qui ne se contente plus de parier sur l'altérité ou l'étrangeté de l'autre, mais sur des construits intégrant l'hétérogène : on met au centre de la scène une certaine négociation des différences partagées et autres éléments ouverts et progressistes menant à une définition plurielle d'un identitaire qui ne sombre ni dans les creusets ethniques traditionnels ni dans l'indifférenciation totale moderne.

Cet identitaire ne sera construit sur des bases sociopolitiques que quand on sera arrivé à préciser ce que l'on considère comme un degré tolérable d'errance identitaire, d'«ethnicité fuyante[50]», et les bornes considérées comme tolérables par les divers groupes pour les solutions négociées au sujet de leur identité respective.

La troisième piste vient des débats contemporains sur la citoyenneté et des problèmes engendrés par l'émergence de groupes identitaires construits sur la couleur, la race, le sexe ou un handicap physique commun[51]. Il est vite apparu que l'émergence de ces groupes souvent très solipsistes a rendu encore plus difficiles les arbitrages entre les perspectives communautariennes dites traditionnelles et les perspectives libérales dites modernes. Et pourtant une théorie de la citoyenneté cherche justement et malaisément à dépasser cette aporie.

---

48. S. Simon *et al.*, *Fictions de l'identitaire au Québec*, Montréal, XYZ, 1991.

49. L. Tassinari, «La ville continue. Montréal et l'expérience transculturelle de *Vice Versa*», *Revue internationale d'action communautaire*, vol. 21, n° 6, 1989, p. 57-72 ; J. Kristeva, *Étrangers à nous-mêmes*, Paris, Fayard, 1989 ; T. Todorov, *Nous et les autres*, Paris, Seuil, 1989.

50. D. Juteau-Lee «Visions partielles, visions partiales, visions (des) minoritaires en sociologie», *Sociologie et sociétés*, vol. 13, n° 2, p.33-47.

51. M. J. Piore, *op. cit.*

Elle se veut à la fois anticosmopolite et antiparticulariste, elle cherche une troisième voie entre la notion de citoyenneté de Pierre Elliott Trudeau fondée sur les seuls droits individuels et celle de Jacques Parizeau ancrée dans la référence aux Québécois de souche[52].

Ces trois filons (corporatisme, identitaire, citoyenneté) et les équilibres subtils qu'ils cherchent à établir dans la trame de la société québécoise sont des incontournables au moment de définir la socialité québécoise contemporaine, laquelle va s'avérer à l'examen moins un type idéal que le résultat complexe et malaisé d'un va-et-vient qui se continue entre tradition, modernité et postmodernité.

Mais avant de pouvoir préciser de manière clinique la socialité québécoise en acte, il nous faudra identifier un nombre suffisant de ces fils qui en composent la trame. C'est un travail qui a commencé mais qui prendra encore un certain temps.

---

52. R. Beiner, *Theorizing Citizenship*, Albany, State University of New York Press, 1995.

CHAPITRE 5

Croissance économique
et capital social

Les fleurs ne poussent pas plus vite
parce qu'on tire dessus.

LAURENT LAPLANTE

Il y a une contradiction étrange, dans les travaux sur la période Duplessis, entre le jugement très sévère qu'a porté toute une génération de spécialistes en sciences humaines sur cette ère de « grande noirceur » et l'accord presque unanime sur le fait que le Québec a suivi pendant ce temps un sentier de croissance économique tout à fait comparable à celui des autres régions du continent nord-américain. On a accusé Duplessis et le duplessisme d'avoir « retardé » le développement économique du Québec, alors que le taux de croissance de la production est à peu près le même au Québec et en Ontario entre 1870 et la fin des années 1950 [1].

Un autre contraste tout aussi surprenant est celui entre la représentation triomphante de la Révolution tranquille et la détérioration relative de la situation économique du Québec qui s'est accentuée depuis le milieu des années 1960.

---

1. A. Raynauld, *Croissance et structure économiques de la province de Québec*, Québec, ministère de l'Industrie et du Commerce, 1961.

Se pourrait-il donc que l'on ait été indûment sévère à l'endroit du régime Duplessis et trop complaisant pour la Révolution tranquille? L'historiographie récente a commencé à présenter une version moins manichéenne de l'expérience québécoise de l'après-guerre[2]. On n'en est donc plus à devoir rescaper Duplessis ou déboulonner Lesage. Le temps est plutôt aux explications. Pourquoi, malgré ses faiblesses, la stratégie Duplessis a-t-elle bien fonctionné, et pourquoi, malgré ses promesses, la stratégie Lesage a-t-elle mal tourné?

Duplessis et après

Il est très difficile de trouver un point d'inflexion autour de 1960 dans le sentier de croissance, en termes réels, du produit intérieur brut du Québec en échelle semi-logarithmique. Entre 1945 et 1974, on a un taux de croissance un peu au-dessous des cinq pour cent par année avec des signes de ralentissement à la fin des années soixante. Dans les quinze années qui vont suivre, le taux de croissance tombe presque de moitié, avant de s'aplatir encore et de frôler le zéro au tournant des années quatre-vingt-dix. Non seulement le taux de croissance ralentit après la Révolution tranquille, mais il chute beaucoup plus rapidement qu'en Ontario. De plus, il y a eu chute dramatique dans les années soixante de l'investissement privé *per capita* au Québec par rapport à ce qui se passe en Ontario. En fait, la productivité de l'économie canadienne dans son ensemble (dont l'Ontario et le Québec forment la très grosse part) a été dans le peloton de queue des vingt-quatre pays de l'OCDE.

Les travaux importants de Bourque et Duchastel ont révélé une société libérale des années cinquante qui a clairement conscience de ses fondements et de sa dérive. Mais ils ont aussi montré les particularismes qui définissent l'identité québécoise

---

2. C. Couture, *Le mythe de la modernisation du Québec*, Montréal, Éditions du Méridien, 1991; L. Dion, *Québec 1945-2000*, tome II, Sainte-Foy, Presses de l'université Laval, 1993; G. Bourque, J. Duchastel et J. Beauchemin, *La société libérale duplessiste*, Montréal, Presses de l'université de Montréal, 1994.

fragmentée[3]. Les années cinquante sont non seulement moins statiques qu'on ne l'avait supposé, mais le gouvernement de Duplessis a aussi une stratégie claire et nette d'État libéral. Duplessis choisit délibérément d'agir en complémentarité avec l'État fédéral interventionniste et keynésien, qui est la norme au Canada après 1945 : il va s'occuper des secteurs que celui-là néglige. Cet État libéral québécois d'avant 1960 peut donc paraître se complaire dans un laisser-faire nonchalant et se construire sur une représentation tronquée de la réalité. Il s'agit plutôt d'une stratégie d'État prudent, d'un État stratège qui se définit en complémentarité avec les actions du monde des affaires et de l'État fédéral.

On compte explicitement sur le monde des affaires pour servir de moteur à l'économie et sur l'État fédéral pour définir et soutenir les grands pans de l'intervention keynésienne au plan économique et social. L'État québécois se donne seulement un rôle de modulation et introduit le cas échéant bémols et dièses dans les grands dossiers. Mais il intervient directement et fermement pour dynamiser les zones oubliées (sous-régions, zones agricoles, zones périphériques) quand il se trouve que l'intervention est nécessaire. La position de Daniel Johnson sera d'ailleurs en continuité complète avec celle de Duplessis.

L'économie québécoise est une petite économie ouverte, dépendante et balkanisée. La trajectoire de sa croissance, tant avant qu'après 1960, dépend largement de *facteurs exogènes*. Les mêmes facteurs (comme le rapport Paley aux États-Unis et l'investissement direct dans l'exploitation des ressources naturelles canadiennes qui a suivi) ont eu des impacts parallèles sur l'Ontario et le Québec dans les années cinquante. De même, les chocs pétroliers des années soixante-dix ont aussi eu des impacts similaires sur ces deux économies. Cependant, une portion des différentiels de croissance entre les deux régions est attribuable aussi à certains *aléas géotechniques* (qui peuvent servir plus ou moins bien une économie régionale selon le

---

3. G. Bourque et J. Duchastel, *L'identité fragmentée*, Montréal, Fides, 1996.

moment) et à certaines *différences dans les institutions*. Ainsi, le meilleur accès au charbon pour l'Ontario dans la première révolution industrielle (fondée sur le charbon et l'acier), et l'accès à l'hydro-électricité à meilleur compte pour le Québec dans la seconde vague d'industrialisation (basée sur les métaux non ferreux et l'électricité) expliquent une bonne partie des écarts de croissance [4].

Sans un inventaire complet de ces facteurs exogènes, il est évidemment aventureux de présumer que ce qui reste inexpliqué est attribuable aux différences dans les institutions. Cependant, il est raisonnable de penser que ces grands paramètres exogènes n'expliquent pas tout. Les travaux récents sur la croissance économique (toutes tendances idéologiques confondues) soulignent l'importance explicative des institutions, du capital social et des politiques gouvernementales [5].

C'est sous cette rubrique générale que certains ont inscrit le *facteur Duplessis* comme cause du retard de l'économie québécoise. Or, d'une part, le parallélisme entre la performance du Québec et celle de l'Ontario pour la période Duplessis fait que le résidu de performance relative négative qui serait attribuable aux méfaits de Duplessis et du duplessisme est difficile à détecter. En fait, il se pourrait bien qu'il s'agisse d'une vue de l'esprit. D'autre part, les difficultés relatives de l'économie québécoise dans l'après Révolution tranquille, qui, elles, sont assez faciles à détecter, sont tout aussi troublantes en ce sens que la Révolution tranquille, à laquelle on a attribué toutes sortes d'effets bénéfiques, est aussi un facteur lié aux insti-

---

4. A. Faucher, *Histoire économique et unité canadienne*, Montréal, Fides, 1970; R. Armstrong, *Structure and Change: An Economic History of Quebec*, Toronto, Gage, 1984.

5. F. Fukuyama, *La confiance et la puissance. Vertus sociales et prospérité économique*, Paris, Plon, 1997; *The Economist*, «Economic Growth: The Poor and The Rich», 25 mai 1996, p. 23-25; M. Olson, «Big Bills Left on the Sidewalk: Why Some Nations are Rich, and Others Poor», *Journal of Economic Perspectives*, vol. 10, n° 2, 1996, p. 3-24; G. Paquet, «La grisaille des institutions», dans S. Coulombe et G. Paquet (dir.), *La réinvention des institutions et le rôle de l'État*, Montréal, Association des économistes québécois, 1996, p. 393-421.

tutions, au capital social et aux politiques gouvernementales qui s'est traduit par un effet de ralentissement économique.

Notre hypothèse suggère qu'on peut expliquer une portion des succès de l'avant 1960 et des déboires de l'après 1960 en faisant appel à la notion de capital social.

On ne reconnaît pas toujours l'importance du capital social à la Coleman dans la croissance économique[6]. Il s'agit d'un concept qui est présenté en parallèle avec les notions de capital physique, capital financier et capital humain, comme incarné dans un ensemble de relations sociales qui facilitent l'interaction des personnes et des autres acteurs socioéconomiques et donc la création de valeur ajoutée. Ce capital associatif est construit sur les obligations réciproques et les réseaux qui sont d'une importance centrale dans la production de la confiance, dans la concrétisation des prévisions et dans la création de normes et valeurs susceptibles de résoudre les problèmes associés à la sous-production de biens collectifs qui nécessite une certaine coopération.

Ce capital social émerge de la structure sociale et fleurit dans les processus de socialisation — la famille, l'école, la communauté — mais il s'incarne aussi dans un ensemble de normes, conventions, etc., qui définissent le tissu associatif de la société. Les travaux de Banfield, de Hirsch, de Granovetter et de Putnam ont montré que le capital communautaire sert de point d'ancrage et de support pour l'économie et que, absent, il cause de nombreuses difficultés économiques[7].

Il s'agit d'ailleurs, comme le rappelle Hirsch, de propositions sur lesquelles insistait déjà Adam Smith au dix-huitième siècle. L'enracinement communautaire traditionnel, loin d'être un handicap, sert à contenir les délires du libéralisme sauvage.

6. J. S. Coleman, « Social Capital and the Creation of Human Capital », *American Journal of Sociology*, vol. 94 (Supplement), 1988, p. S95-S120.

7. E. C. Banfield, *The Moral Basis of a Backward Society*, New York, Free Press, 1958; F. Hirsch, *Social Limits to Growth*, Cambridge, Cambridge University Press, 1976; M. Granovetter, « Economic Action and Social Structure: The Problem of Embeddedness », *American Journal of Sociology*, vol. 91, n° 3, 1985, p. 481-510; R. D. Putnam, *Making Democracy Work*, Princeton, Princeton University Press, 1993.

Il est à l'origine de « cette retenue spontanément dérivée des mœurs, de la religion, de la coutume, de l'instruction » qui serait nécessaire pour qu'on puisse donner libre cours à la poursuite des intérêts particuliers sans pour autant détruire la communauté [8].

L'obstination à présenter le bagage institutionnel et culturel traditionnel des Québécois comme une source de ralentissement économique et à conclure que le délestage de ces institutions a constitué un progrès vers la modernité pourrait bien être mal inspirée. On serait peut-être mieux avisé de voir dans ce processus un dérapage vers l'absolutisation malheureuse du marché [9], là où le capital communautaire traditionnel les avait pourtant bien servi [10]. Une meilleure appréciation de ce dernier aiderait donc sans doute à résoudre les paradoxes auxquels nous avons fait allusion. Il est en effet possible que ce soubassement ait contribué de manière importante à la croissance économique dans la période Duplessis et que l'érosion et la dilapidation du capital communautaire perpétrées par la Révolution tranquille (dans ses ardeurs pour liquider tout l'acquis construit autour des pôles que sont la famille, la communauté et la religion) aient joué un rôle négatif en affaiblissant les communautés d'action et de signification dans la politique, l'économie et la société québécoises.

Décapitalisation sociale

Il est fort difficile de quantifier l'importance du capital social pour la croissance économique et celle de l'érosion du capital

---

8. A. W. Coats (dir.), *The Classical Economists and Economic Policy*, Londres, Methuen, 1971, cité dans F. Hirsch, *op. cit.*, p. 137.

9. R. Durocher et P. A. Linteau (dir.), « Le " retard " économique du Québec et l'infériorité économique des Canadiens français », Trois-Rivières, Boréal, 1971.

10. G. Paquet, *Histoire économique du Canada*, radioscopie de vingt-cinq émissions de soixante minutes diffusées en automne-hiver 1980-1981, Montréal, Radio-Canada, et « Pour une notion renouvelée de citoyenneté », *Mémoires de la Société royale du Canada*, cinquième série, tome IV, 1989, p. 83-100.

social comme source des difficultés économiques. Putnam a fait une étude longitudinale du cas italien sur des décennies et n'a pas convaincu tout le monde. Ses travaux sur la décapitalisation sociale récente aux États-Unis ne font pas l'unanimité non plus [11].

Dans le cas du Québec, l'État, prenant tellement plus de place au moment de la Révolution tranquille, a déplacé l'ordre institutionnel antérieur. Il est toutefois difficile de faire la démonstration, dans l'explication du ralentissement économique, de l'importance relative de facteurs comme la disparition de la famille et de la religion en tant que supports du capital social. On sait, en tout cas, que dans les analyses des années cinquante à la Trudeau, tout cet appareil d'institutions traditionnelles est systématiquement décrié et déconsidéré.

Pourtant, l'État duplessiste, modeste et libéral, laisse place à la société civile et ne craint pas de s'associer au monde des affaires. Son action va renforcer l'entreprise francophone et les réseaux de petits entrepreneurs en région. Il y aura explosion du secteur coopératif. On note évidemment une certaine lenteur à utiliser les mécanismes financiers permettant aux entreprises de moyenne taille de grandir, une hésitation à utiliser un interventionnisme de bon aloi, même en contexte d'État libéral, etc., mais on sent dès 1954, quand Duplessis accepte l'impôt sur le revenu, que la situation évolue rapidement.

Face aux débordements idéologiques de l'État fédéral qui, il faut le répéter, refuse de libérer les champs fiscaux, « prêtés » au fédéral par les provinces au moment de la guerre, et fait miroiter la politique gouvernementale de type keynésien comme la grande panacée, *l'État libéral personnaliste* du Québec duplessiste va même être de plus en plus critiqué par une bourgeoisie d'affaires qui veut un partenariat encore plus musclé avec l'État.

On ne sait pas à quel rythme le glissement vers un État plus interventionniste se serait fait si Paul Sauvé était resté au pouvoir, mais on sait que cela ne se serait pas fait dans

11. R. D. Putnam, « Bowling Alone », *Journal of Democracy*, vol. 6, nº 1, 1995, p. 65-78, et « The Strange Disappearance of Civic America », *The American Prospect*, nº 2, 1996, p. 34-48.

l'orgie de centralisation administrative choisie par le gouvernement Lesage et dénoncée plus tard par Daniel Johnson. Au moment où il y a ralentissement de la croissance économique dans l'hémisphère occidental et, en parallèle, dérive de plus en plus claire du centre de gravité de l'économie canadienne vers l'ouest, les dépenses du gouvernement québécois vont augmenter à un rythme de plus de quinze pour cent par année entre 1961 et 1966. C'est l'arrivée de la nouvelle classe moyenne au pouvoir, ces « technocrates sans âme », dira Johnson. La grande vague démographique aidant, l'État se substitue à la société civile dans de nombreux secteurs. Ce faisant, on va, suggérons-nous, engendrer une érosion importante du capital social québécois.

La Révolution tranquille, qui a tenté de suppléer par un paternalisme et un entrepreneurship d'État aux déficiences présumées du secteur privé, a détruit une portion de la trame de la société civile, mais elle a aussi eu un effet d'éviction sur l'investissement privé. L'État québécois se fait courtier en changement social. Cette action interventionniste énergique au Québec vient s'ajouter à une action énergique aussi du gouvernement fédéral sur tout le territoire canadien. C'est la superposition de ces deux envahissements qui a eu des effets dévastateurs.

L'essoufflement du syncrétisme québécois

Le Québec a une vieille culture économique néo-corporatiste dont les racines et le feuillage ont été analysés par Clinton Archibald [12]. Que la concertation ait été orchestrée par les acteurs sociaux avant 1960 et par les acteurs politiques après a fait bien peu de différence. Cette culture économique a constitué un terrain propice au développement du mouvement coopératif tout au long du siècle, et, en retour, le mouvement Desjardins a contribué à alimenter et à renforcer la concertation socioéconomique québécoise — comme dans cette œuvre d'Escher où deux mains se dessinent l'une l'autre.

---

12. C. Archibald, *Un Québec corporatiste ?*, Hull, Asticou, 1984.

Au cours des quarante dernières années, les grands bouleversements externes et internes ont provoqué des réaménagements importants au Québec. Dans une socioéconomie dont la bourgeoisie d'affaires était divisée par l'ethnie et où les institutions francophones privées étaient souvent anémiques, toute forme de facilitation de l'agir ensemble a constitué un atout important dans le processus d'ajustement aux réalités nouvelles. Tant la société civile que l'État ont développé des capacités à appuyer, par la concertation et le réseautage, un entrepreneurship privé dont les assises n'étaient pas aussi solides qu'on l'aurait voulu. Tant les sociétés coopératives que les sociétés d'État ont grandi dans ce contexte porteur.

Au début, ces deux mouvements ont tissé leur toile à des niveaux différents : le mouvement coopératif a travaillé depuis le début du siècle au niveau micro-communautaire alors que les sociétés d'État ont ambitionné dans les années soixante de travailler sur tout le territoire québécois. Ces deux mouvements ont convergé au cours des années soixante-dix : le mouvement Desjardins est devenu un partenaire économique de l'État et des chantiers communs ont germé. Québec inc. est la combinaison syncrétique de ces efforts par le monde des affaires, l'État et les grands acteurs de la société civile, comme le mouvement Desjardins, pour construire un capitalisme à la mesure du Québec — un capitalisme qui ambitionne une place sur l'échiquier mondial mais en même temps une sorte de capitalisme à saveur communautaire.

On a beaucoup discuté du modèle de développement québécois qui en serait sorti. L'accord qui semble émerger suggère que, dans un premier temps, le tableau d'avancement a été substantiel, mais que, par la suite, le syncrétisme s'est effiloché.

Cet essoufflement provient d'une combinaison de forces externes et internes qui non seulement expliquent la déroute de Québec inc. dans les années quatre-vingt, mais encore permettent de prévoir, pour les mêmes raisons, certaines difficultés pour Desjardins et pour Québec inc. dans l'avenir : d'abord le coefficient de solidarité nécessaire pour que ce genre de concertation entre politique, économie et société s'accomplisse pourrait être affaibli ou devoir être réinventé, et ensuite nous n'avons pas encore appris à échapper aux pièges d'une seule logique dominante alors que les partenariats réclament justement la réconciliation efficace de plusieurs de ces logiques.

Le mouvement Desjardins a longtemps grandi au niveau de la communauté locale, Québec inc. à celui du marché, avant de passer tous deux dans l'économie-monde. Pendant un moment, il y a eu jonction entre Desjardins (débordant du local vers le national) et Québec inc. (cherchant à jeter des passerelles entre les diverses régions et secteurs du Québec). Mais d'importantes transformations ont fait dérailler leurs projets.

L'impact de la globalisation des marchés et la mise en place de l'ALENA ont à la fois rendu plus difficiles et plus importants les efforts de coopération. Québec inc. s'en est pourtant trouvé affaibli surtout parce que, par un paradoxe bien expliqué par John Naisbitt, plus il y a globalisation, plus les petits acteurs économiques, comme les micro-régions et les grappes industrielles locales, peuvent prendre de l'importance [13]. C'est le cas parce que le processus de création de la richesse en est venu à dépendre de plus en plus de la connaissance, de l'information, des relations entre les choses et les gens plutôt que des choses elles-mêmes. Les agents économiques doivent donc trouver moyen d'apprendre le plus vite possible les uns des autres, de leurs clients, de leurs fournisseurs, etc. En conséquence, il faut s'assurer que les intervenants puissent *converser effectivement*, que leur conversation soit porteuse d'apprentissage rapide et génératrice de flexibilité et d'innovation [14]. Or cette recherche de flexibilité, de variété, de vitesse d'ajustement et d'innovation continue va contribuer à accélérer un processus de dévolution massive de la gouvernance : pour s'ajuster vite et bien, la structure organisationnelle doit avoir la souplesse nécessaire et la décision doit être entre les mains de ceux qui sont les mieux informés, c'est-à-dire dans les tranchées.

---

13. J. Naisbitt, *Global Paradox*, New York, William Morrow, 1994.
14. A. M. Webber, « What's So New About the New Economy ? », *Harvard Business Review*, vol. 71, n⁰ 1, 1993, p. 24-42.

La globalisation a aussi engendré une modification du processus de gouvernance. Il y a eu un affaiblissement de l'État-nation : trop petit pour faire la différence au niveau mondial mais trop gros pour s'occuper efficacement des problèmes locaux. Un certain tribalisme régional ou communautaire s'en est ensuivi, et même, dans certains cas, l'émergence d'États-régions plus aptes à définir des stratégies efficaces pour des ensembles micro ou méso-économiques au sein de l'économie mondiale [15].

La spécialisation des sous-régions et la formation de systèmes d'apprentissage technologiques reposent sur des conventions enracinées dans la culture locale. Ces cultures locales autour de la Silicon Valley en Californie et de la Route 128 près de Boston ont fait la différence entre succès et faillites face aux défis lancés par la globalisation des marchés [16].

Ce double effet de dévolution de la gouvernance et de régionalisation de la production a donné une importance nouvelle au *milieu* : « un ensemble territorial formé de réseaux intégrés de ressources matérielles et immatérielles, dominé par une culture historiquement constituée, vecteur de savoirs et savoir-faire, et reposant sur un système relationnel de type coopération/concurrence des acteurs localisés [17] ».

Or, la tendance, dans les années quatre-vingt et au début de la décennie suivante, à la fois pour Desjardins et pour Québec inc., a été de se donner une vocation de concertation panquébécoise et de vouloir centraliser de plus en plus leur action. Cela n'a pas toujours bien cadré avec les impératifs de régionalisation et de décentralisation que les circonstances nouvelles semblaient favoriser [18]. Quand, plus tard, on a voulu

---

15. K. Ohmae, « The Rise of the Region State », *Foreign Affairs*, vol. 72, n° 2, 1993, p. 78-87.

16. A. Saxenian, *Regional Advantage*, Cambridge, Harvard University Press, 1994.

17. B. Lecoq, *Réseau et système productif régional*, dossiers de l'IRER, n° 23, 1989.

18. P. P. Proulx, « Vers un nouveau modèle de développement économique : Québec Inc. II », dans C. A. Carrier (dir.), *Pour une gestion efficace de l'économie*, Montréal, Association des économistes québécois, 1992, p. 33-46.

tenter l'expérience d'une accentuation du « rôle d'agent économique de développement du milieu » de Desjardins (comme
le suggérait son quinzième congrès) ou quand on a tenté le
pari sur les grappes industrielles pour régionaliser les efforts
de Québec inc., on s'est rendu compte que le soubassement
socioculturel et la solidarité nécessaires n'étaient plus au
rendez-vous.

Desjardins et le capitalisme communautaire

Desjardins — le mouvement et l'entreprise — a eu une vie
agitée. Même si le mouvement Desjardins s'amorce tôt dans
le siècle comme une forme de capitalisme communautaire, il
va atteindre son maximum de cohérence quand se fera la
première jonction — incomplète mais importante — avec le
corporatisme social à la fin des années trente [19]. Ensuite, il y
aura consolidation du mouvement et plafonnement jusqu'à
ce que, dans les années soixante-dix, il y ait bifurcation. La
première voie, tout en gardant ses fondements dans un
capitalisme communautaire, va pousser son engagement
nationaliste et chercher dans Québec inc. à recréer le partenariat manqué dans les années trente avec le corporatisme
social : Desjardins devient entreprise et centralise ses décisions
pour pouvoir agir de concert avec les autres grands intervenants.
Il y a un ratio nationalisme/coopératisme tel dans ces aventures
qu'on en arrive à dériver vers « des coopératives sans coopéra-
teurs [20] ». On s'est décidément laissé orienter par les impératifs
strictement économico-financiers. La convergence des forces de
la concurrence sur les places financières et du décloisonnement
des activités avec la déréglementation, de la nouvelle technologie de communication, des « mauvaises influences » des

---

19. J. L. Martel, « L'organisation coopérative et les projets de restau-
ration des années 30 au Québec », *Coopératives et développement*, vol. 18, nº 2,
1987, p. 15-38 ; B. Lévesque, « Les coopératives au Québec », *Annals of
Public and Cooperative Economics*, vol. 60, nº 2, 1989, p. 181-215.

20. C. Beauchamp, « La coopération ambiguë », *Coopératives et
développement*, vol. 22, nº 2, 1991, p. 45-54.

partenaires affairistes conjuguées à une faible capitalisation et au besoin de tirer le maximum des gouvernements en termes d'avantages fiscaux, ont entraîné Desjardins à devenir de plus en plus semblable à une société de capital-actions et à prendre ses distances par rapport aux impératifs de solidarité et de capitalisme communautaire qui l'avaient porté depuis ses origines.

La seconde voie essaiera, elle, d'y rester fidèle. Elle élabore un projet autogestionnaire et crée une effervescence nouvelle dans le développement local. Ces efforts vont porter fruit de manière impressionnante dans certains créneaux, mais la progression va souvent être freinée ou tout au moins ne pas être vigoureusement encouragée par les instances dirigeantes. La dérive est ici moins linéaire. Après un sursaut important de solidarité dans la foulée de la récession du début des années quatre-vingt, il y a eu relapse avec le repli sur la vie privée et la montée de l'individualisme au milieu de la décennie. Dans le passé plus récent, on a observé une flambée d'intérêt pour l'économie solidaire. Mais il faut vite ajouter que l'économie solidaire est encore engluée dans les petits boulots et le développement local au ras du sol, et que Desjardins a été fort lent à s'impliquer dans ce « second monde ». La réflexion qui se poursuit dans plusieurs fédérations depuis 1993 sur le nouveau rôle que pourrait avoir Desjardins pour aider les collectivités locales à se prendre en main autour de projets concrets n'a pas encore débouché sur une stratégie bien structurée.

Desjardins est donc une institution schizophrène. D'une part, c'est un mouvement qui a dégénéré en entreprise. Certains diraient, comme Claude Beauchamp, que Desjardins a été acculturé aux valeurs capitalistes. On a glissé du projet de « faire autrement » à un rôle fonctionnel dans l'ensemble de la société capitaliste, d'une aventure démocratique en quête d'égalité à un projet d'organisation performante, d'une détermination à garder l'infrastructure légère à une organisation lourde et complexe, d'assises profondément participatives à l'hégémonie du pouvoir technocratique[21]. D'autre part, le

---

21. *Ibid.*

mouvement Desjardins s'est exhaussé, sans le vouloir et même parfois sans l'admettre. Sa philosophie de base a germé et donné naissance à un éventail exubérant d'activités de développement local qui vivent maintenant à la périphérie de Desjardins plutôt que dans son sein.

Rien ne laisse croire que ces deux voies soient en train de converger ou même qu'une réinvention de Desjardins par le truchement d'un nouveau projet mobilisateur puisse permettre d'espérer un mouvement recadré et intégré en l'an 2000. Pour ce faire, il faudrait reconnaître la nécessité de mettre en place un nouveau discours coopératif bien adapté aux réalités, prendre conscience du faible degré de contrôle des sociétaires et de la nécessité de corriger cet état de fait si on veut que la participation augmente, prendre acte du traitement fiscal favorable dont bénéficie Desjardins et qui rend certains de ses succès assez artificiels (mais aussi, et pour les mêmes raisons, de la précarité de cette protection), et mettre en valeur l'incroyable richesse de maillages verticaux et horizontaux que Desjardins peut construire par une sorte de transversalisation du mouvement coopératif dont il pourrait être maître d'œuvre.

Québec inc. et le corporatisme temporaire

Le corporatisme politique à la Québec inc. est un phénomène de concertation socio-économico-politique pour promouvoir le développement du Québec. C'est un phénomène qui a dominé la scène québécoise pendant une dizaine d'années (de 1976 à 1984)[22]. Voilà qui ne nie pas l'existence de connivences entre les grands partenaires tant dans l'avant que dans l'après[23]. Mais, avant de pouvoir se faire le catalyseur d'un corporatisme politique, l'État québécois devait se donner des instruments pour pouvoir collaborer utilement avec ses partenaires. C'est le travail qui sera fait dans les années soixante et début soixante-

---

22. J.-P. Dupuis (dir.), *Le modèle québécois de développement économique*, Cap Rouge, Presses Inter Universitaires, 1995.
23. Y. Bélanger, *Québec Inc. L'entreprise québécoise à la croisée des chemins*, Montréal, HMH, 1998.

dix. Le plus important de ces instruments a été la Caisse de dépôt et placement en 1965. La même année, le monde des affaires se donne le Conseil du patronat du Québec. Le mouvement Desjardins va pour sa part acquérir une gouvernance nouvelle en 1970 quand on constitue la Fédération. Avec l'arrivée du Parti québécois au pouvoir en 1976, les deux derniers ingrédients nécessaires pour que la concertation se fasse sont en place : la collaboration des syndicats qui, après des combats très durs avec le gouvernement précédent, se sentent des atomes crochus avec le Parti québécois, et une volonté politique du gouvernement Lévesque de faire de l'État le chef d'orchestre de ce concert socioéconomique. Le terrain est prêt pour les sommets économiques qui commencent en 1977.

Durant la dizaine d'années que va durer Québec inc., on voit émerger « la première génération de grandes entreprises privées proprement québécoises (Bombardier, Provigo, Cascades, Banque nationale, Lavalin, le groupe La Laurentienne, Metro-Richelieu, etc.). Le réseau coopératif s'est aussi concentré et renforcé (Mouvement Desjardins, Coopérative fédérée, etc.) [24]. » Mais cette épiphanie des entrepreneurs québécois, leur optimisme excessif dans l'après récession de 1982, certaines interventions malheureuses de l'État québécois et les nouveaux courants idéologiques libéraux qui balaient l'Occident vont miner les bases de ce modèle de concertation : les entrepreneurs québécois vont avoir l'impression qu'ils peuvent s'en tirer seuls et, en particulier, vouloir secouer le joug des partenariats avec l'État [25]. L'impact de Québec inc. dans l'après n'a pas été insignifiant. Même s'il peut y avoir désaccord quant à l'importance de cet héritage, l'accord est fait sur l'érosion de Québec inc. [26].

Le livre de Jean-Pierre Dupuis propose un constat provisoire et nuancé de l'expérience de Québec inc. On y fait

---

24. Y. Bélanger, « Québec inc. : la dérive d'un modèle », dans J.-P. Dupuis (dir.), *op. cit.*, p. 31.

25. Y. Bérubé, « Requiem pour un Québec inc. », dans C. A. Carrier (dir.), *op. cit.*, p. 51-52.

26. Y. Bélanger, *op. cit.*

de multiples références au modèle nippo-rhénan ou au capitalisme communautarien [27], comme s'il y avait commune mesure entre le soubassement socioculturel du Québec et celui du Japon ou de l'Allemagne. Par un glissement du discours, on est vite amené à penser présomptueusement qu'il existe ici un soubassement socioculturel suffisamment riche et robuste pour soutenir et alimenter la coopération et les partenariats. Tel n'est pas le cas. La solidarité est faible et les partenariats difficiles à forger.

La rupture serait venue d'un virage du gouvernement Bourassa vers une sorte de «nationalisme de marché» qui laisse les coudées franches au secteur privé et désengage le gouvernement québécois après 1985 [28].

Pour certains, la récession du début des années quatre-vingt-dix donnera le coup de grâce à Québec inc. Pour d'autres, cependant, Québec inc. n'est pas mort; il est seulement assoupi. Ceux-ci demeurent convaincus que toute économie moderne repose sur la *co-opétition* (c'est-à-dire sur un mélange de coopération et de compétition) [29] et sur une *économie plurielle* donnant toute sa place à l'économie marchande, au secteur public et à l'économie solidaire [30]. C'est donc dans ces deux directions qu'on veut construire la socioéconomie québécoise de l'an 2000.

Mais ces espoirs de renaissance par la voie nippo-rhénane refusent de prendre en compte les fondements socioculturels réels sur lesquels il va falloir construire au Québec. Ces fondements culturels sont très différents de ceux qu'on trouve au Japon et en Allemagne, mais aussi dans d'autres pays occidentaux. On peut identifier pas moins de sept cultures différentes de capitalisme plus ou moins individualiste ou collectiviste [31].

---

27. Voir respectivement M. Albert, *Capitalisme contre capitalisme*, Paris, Seuil, 1991, et L. Thurow, *Head to Head*, New York, William Morrow, 1992.

28. Y. Bélanger, art. cité, p. 33-34.

29. M. Brandenburger et B. J. Nalebuff, *Co-opetition*, New York, Currency Doubleday, 1996.

30. G. Roustang *et al.*, *Vers un nouveau contrat social*, Paris, Desclée de Brouwer, 1996.

31. C. Hampden-Turner et A. Trompenaars, *The Seven Cultures of Capitalism*, New York, Currency Doubleday, 1993.

Dans chaque cas, la culture engendre un capitalisme particulier. Or le Québec est nettement marqué au coin de l'individualisme nord-américain. Il serait donc naïf de rêver que Québec inc. puisse, comme l'oiseau Phénix, renaître de ses cendres quand le soubassement socioculturel n'est pas porteur.

Quant à savoir si le désintérêt du gouvernement Bourassa et la gravité de la récession suffisent pour expliquer l'assoupissement de Québec inc., il nous semble que non. Évidemment, l'initiative des grappes industrielles du ministre Tremblay arrive au mauvais moment. La récession gronde. Mais son échec est tellement flagrant qu'on ne peut pas l'attribuer à la simple conjoncture. Cela ne saurait expliquer la faillite complète de l'initiative de Gérald Tremblay pour développer une stratégie construite sur des grappes industrielles. Celles-ci devaient servir de forums de concertation pour toutes les parties intéressées et engendrer ces effets de synergie au niveau local dont on disait qu'ils étaient au cœur de l'innovation et de la compétitivité.

Se pourrait-il que les mêmes éléments expliquent à la fois la dérive de Desjardins de mouvement en entreprise et l'effilochage de Québec inc.? La solidarité est un ingrédient essentiel pour le succès des partenariats. Or, notre soubassement socioculturel est de moins en moins enclin à la solidarité. Quelle part ce manque de solidarité a-t-il dans les échecs? Il faut fondre les logiques différentes des partenaires en un faisceau cohérent pour que les partenariats réussissent. Or, les principes pour harnacher ces logiques diverses en un faisceau cohérent nous échappent. C'est peut-être par incapacité à construire une logique syncrétique que ces divers partenariats ont échoué.

L'angle mort de la coopération et de la concertation

Il semble que l'angle mort pour Desjardins et Québec inc. soit l'incapacité de reconnaître l'importance fondamentale du capital social ou communautaire, du soubassement socioculturel de solidarité pour que fleurisse la coopération et que perdure la collaboration entre gouvernement, groupes sociaux, monde coopératif et monde des affaires.

De nombreuses expériences étudiées au cours des dernières années ont montré que ce soubassement a des racines profondes et que les diverses cultures des différents capitalismes ont chacune un fonds de capital social différent et donnent des valences fort différentes à la solidarité. Ces différences dans le degré de solidarité sont détectables au fil de la presse quotidienne : les mêmes suggestions d'étiolement des politiques sociales ou d'élimination d'emplois par les grandes sociétés privées ou publiques engendrent manifestations et protestations violentes en France ; aux États-Unis ou au Canada, elles sont acceptées avec un certain fatalisme. C'est qu'il existe une solidarité sociale plus grande en France — un pays où l'on attribue succès et faillite bien davantage à l'organisation sociale qu'à l'individu — qu'en Amérique du Nord — où l'individualisme règne et où il est facile pour la plupart des citoyens de se convaincre que dans le monde spencerien de la survivance des mieux adaptés, les perdants sont grandement responsables de leur propre sort [32]. Il s'agit de différences dans les habitus attribuables aux différentiels de capital social. Le capital social (au sens de Coleman et non pas au sens plus strictement financier de Desjardins) est l'ensemble des organisations sociales comme les réseaux, les normes, les conventions, la confiance qui facilitent la coordination et la coopération [33]. Les forces qui, dans le passé, ont contribué de manière importante à la mise en place de ce capital social ont été la famille, l'école et la communauté.

Une déperdition de capital social se traduit par un progrès économique plus lent : moins on convivialise, moins on se parle, moins on interagit, moins on est amené à parler d'affaires et à coopérer. Au Québec, cette décapitalisation sociale s'est faite peut-être plus dramatiquement qu'ailleurs à cause de la double pression de l'État keynésien fédéral qui, par ses politiques sociales, a déplacé en partie la vieille solidarité de la

---

32. L. Thurow, « Can 19th Century Capitalism Work in 2013 ? », *New Perspectives Quarterly*, vol. 13, n° 2, 1996, p. 14-17.

33. R. D. Putnam, « Bowling Alone », art. cité.

société civile, et de l'État québécois qui, en affirmant une présence agrandie sur l'échiquier provincial, a contribué à liquider non seulement le pouvoir des anciennes élites mais toute une ribambelle de réseaux enracinés dans l'ancienne société civile[34].

Au centre des activités de Québec inc. et de Desjardins, il y a avant tout accord de réciprocité. Or, chaque fois qu'il y a partenariat entre agents aux ambitions différentes, il y a risque de discorde, puisque chacun poursuit ses propres objectifs selon son esprit par le truchement de l'entente. Des partenariats comme ceux que veulent créer Desjardins et Québec inc. ambitionnent d'aller au-delà de ces égoïsmes parallèles, de bâtir sur des liens de synergie porteurs de productivité accrue mais recherchés aussi pour eux-mêmes. Le *bonding* renvoie justement, de manière générique, à ce genre de liens extra-rationnels par lesquels on se rattache directement à l'autre affectivement. Les patterns de *bonding* favorisent chez l'acteur la disposition à ne pas rejeter d'emblée ce qui n'est pas dans son meilleur intérêt particulier étroitement défini à court terme (patterns d'obéissance à l'autorité, de réciprocité, etc.); ils instaurent une logique sociale, un ensemble de conventions d'où on tire des motifs d'agir qui débordent et marginalisent le cadre des choix rationnels usuels en devenant un argumentaire qui a préséance, une logique dominante. Si la logique dominante est robuste, elle va orienter l'adaptation des divers agents, elle pense pour eux. Or, au cœur même des projets de partenariats que sont Desjardins et Québec inc., on veut faire cohabiter plusieurs logiques dominantes consubstantiellement différentes.

Ainsi, chez Desjardins, il y a d'abord la logique de la solidarité, mais aussi celle du marché à laquelle on déclare ne pas pouvoir échapper, et puis celle d'un certain corporatisme, autre tentation sociopolitique importante qui émerge de temps en temps. Ces diverses logiques ne se sont pas révélées également fortes. Il en est résulté des guerres intestines autour de logiques dont certains craignaient l'érosion ou la disparition.

---

34. G. Paquet, « La grisaille des institutions », art. cité.

Chez Québec inc., les multiples logiques différentes des jeux économiques de la concurrence et de la coopération, les logiques politico-sociales du nationalisme et du corporatisme et les logiques plus restreintes des divers intérêts cohabitent difficilement. Dans les meilleurs scénarios, elles se fondent en une logique résultante instable et fragile, à moins que celle-ci ne puisse compter sur une socialité robuste qui promeuve la solidarité et soit capable de faire sourdre les diverses formes de coopération nécessaires[35].

Dans les deux cas, les diverses logiques ont cherché, et cherchent toujours, des points de réconciliation efficace, mais certaines logiques dominantes ont commencé à s'affirmer, et pourraient bien menacer l'équilibre précaire de ces institutions telles qu'on les connaît. Il ne s'agit pas d'un problème nouveau pour les organisations publiques, sociales ou privées. Elles sont continuellement menacées par de telles disharmonies. Cela ne veut pas dire cependant que plusieurs logiques relevant de natures différentes ne peuvent pas coexister au sein d'une même organisation. Il s'agit d'établir un compromis légitime entre elles. La coordination ne s'établira toutefois pas si chacun reste dans son propre monde. Le compromis vise un ordre commun qui dépasse les divers « ordres de grandeur » et les différentes normes que veulent imposer les logiques dominantes[36].

Pour susciter la cohabitation, la coexistence de logiques différentes, il faut évidemment bricoler à partir des valeurs et de l'*ethos* de chaque société[37]. Or, la réflexion dans ce sens est encore embryonnaire aussi bien chez Desjardins que chez Québec inc. On est donc encore loin des « principes supérieurs communs » porteurs de compromis efficaces ou des dispositifs

---

35. R. Hollingsworth, « Variation Among Nations in the Logic of Manufacturing Sectors and International Competitiveness », dans D. Foray et C. Freeman (dir.), *Technology and the Wealth of Nations*, Londres, Pinter, 1993, p. 301-321.

36. L. Boltanski et L. Thévenot, *De la justification*, Paris, Gallimard, 1991 ; D. Linhart, *La modernisation des entreprises*, Paris, La Découverte, 1994.

37. H. Amblard *et al., Les nouvelles approches sociologiques des organisations*, Paris, Seuil, 1996.

durables capables de stabiliser ou de maintenir de tels compromis. Il n'est pas impossible dans l'un et l'autre cas qu'on s'y mette et qu'on réussisse, mais on n'en est pas encore là.

CHAPITRE 6

Habitus centralisateur
et gouvernance distribuée

> Ils ne mouraient pas tous, mais tous
> étaient frappés.
>
> JEAN DE LA FONTAINE

La chute des barrières tarifaires et non tarifaires ainsi que
l'importance accrue de la connaissance et de l'information
comme ressources clés dans la nouvelle économie ont entraîné
une nouvelle concurrence au plan mondial et un ajustement
de plus en plus rapide de la production. Dans ce processus
d'adaptation et d'apprentissage accéléré, on cherche systématiquement des moyens de s'assurer que la prise de décision est
confiée à l'instance la plus performante. Cela a souvent voulu
dire que les grandes organisations comme l'État-nation ou les
méga-entreprises ont été dépossédées de leur hégémonie sur de
nombreux aspects du fonctionnement de nos socioéconomies:
il y a eu une véritable dispersion des pouvoirs. L'État-nation,
par exemple, a vu le pouvoir lui échapper par le bas, par le côté
et par le haut: une dévolution de pouvoir à des entités
subnationales permettant de faire plus vite et mieux; souvent
aussi le pouvoir est passé aux entreprises multinationales mieux
équipées pour gérer de nombreux dossiers; on a même été
amené à déporter les décisions à des instances supra-nationales

dans des cas où la nature du problème commandait des ententes plurinationales.

La gouvernance de certains pays comme le Canada semble s'adapter assez malaisément à ces nouvelles réalités. C'est que la nouvelle dispersion du pouvoir et la gouvernance distribuée qu'elle commande font violence à l'habitus centralisateur qui continue à caractériser l'outillage mental d'un bon pan des instances fédérales canadiennes. Nos structures et nos mécanismes de prise de décision se trouvent donc souvent en porte-à-faux par rapport aux réalités nouvelles.

Malgré tout, sous la pression des circonstances, la gouvernance du pays a dérivé vers des formes plus distribuées. Mais cette dérive et les initiatives pour en accélérer l'accomplissement ont le plus souvent été neutralisées par des efforts musclés pour maintenir les structures centralisatrices, de la part tant de politiciens que de bureaucrates. Ce travail d'obstruction pourrait n'avoir qu'un intérêt mineur pour les spécialistes d'histoire politique s'il ne risquait de mener à la fracture du pays.

Notre propos veut d'abord mettre au jour les fondements de cet *ethos* centralisateur dans la culture économique traditionnelle au Canada et ensuite montrer comment les nouvelles réalités ont contribué à son érosion. Toutefois, comme ce travail de transformation s'est fait de manière lente et informelle, sans débats décisifs, nous suggérons qu'on trouve encore dans le maquis des arrière-gardes dangereuses qui ont des appuis importants au sein de la haute fonction publique fédérale et d'une certaine élite politique fédérale. Dans la section suivante, nous caractérisons la nouvelle culture économique enracinée dans la subsidiarité et la négociation des niveaux d'inégalités inacceptables. Dans la troisième section, nous inventorions les défis que pose la coordination dans la nouvelle économie et dénonçons certains mythes qu'on a construits autour de l'incontournabilité des normes nationales. Cela nous amène dans un dernier temps à suggérer des voies de coordination viables opérant de bas en haut à partir de la société civile, et ne menaçant pas notre sécurité sociale et culturelle.

Les fondements de l'habitus centralisateur

Certains pourront croire que nous attachons une trop grande importance à cet *habitus centralisateur* d'Ottawa et que notre inquiétude quant à sa capacité de faire dérailler le processus d'adaptation de notre gouvernance est exagérée. Nous croyons que cette impression erronée découle d'une incompréhension fondamentale de la puissance de l'habitus dans la conformation de nos visions du monde, mais surtout d'une méconnaissance des racines profondes de cet habitus particulier dans la psyché canadienne.

Un habitus est un système de dispositions qui renvoie en même temps au résultat d'une action organisatrice, à une manière d'être, et à une prédisposition et inclination. Il s'agit là d'une triple force dont nous avons montré ailleurs qu'elle a fait dévier les projets décentralisateurs du livre rouge de 1993 [1] et dérailler le processus d'examen des programmes [2]. Il nous semble donc qu'on fait preuve de beaucoup d'inconscience en négligeant la toxicité de cet habitus qui est amplement diffusé dans l'appareil fédéral. Même s'il s'agit d'une force souterraine, et donc difficilement mesurable, elle empêche la résolution de conflits importants qui déchirent le Canada.

Herschel Hardin a naguère exposé les racines profondes de la culture économique canadienne traditionnelle, c'est-à-dire les valeurs fondamentales qui sous-tendent le système de dispositions de la collectivité canadienne et l'ont amenée à réagir de manière caractéristique aux défis qui lui ont été posés au cours des cent dernières années [3]. Selon Hardin, les deux

---

1. G. Paquet et J. Roy, « Prosperity Through Networks: The Economic Renewal Strategy that Might Have Been », dans S. Phillips (dir.), *How Ottawa Spends*, Ottawa, Carleton University Press, 1995, p. 137-158.

2. G. Paquet, « Le fruit dont l'ignorance est la saveur », dans A. Armit et J. Bourgault (dir.), *Hard Choices, No Choices: Assessing Program Review*, Toronto, Institute of Public Administration of Canada, 1996, p. 47-58; G. Paquet et R. Shepherd, « The Program Review Process: A Deconstruction », dans G. Swimmer (dir.), *Life After The Cuts: Doing Less with Less*, Ottawa, Carleton University Press, 1996, p. 39-72.

3. H. Hardin, *A Nation Unaware*, Vancouver, J. J. Douglas, 1974.

éléments clés de la culture économique canadienne sont une propension à se tourner vers l'entreprise publique chaque fois qu'il y a crise et une tendance à utiliser la redistribution inter-régionale des revenus et de la richesse comme mécanisme régulateur. Les Canadiens ont donc pris l'habitude de réagir aux défis en ayant recours à ces deux procédés, chaque fois que le pays s'est trouvé menacé par des circonstances inédites commandant des réaménagements dans les stratégies.

Ces deux valeurs fondatrices expliquent la structure centralisée de l'appareil de gouvernance du Canada : quand la redistribution interrégionale est une valeur cardinale et que le bon usage de l'État est à la mode, on ne peut qu'être amené à vouloir centraliser les pouvoirs à Ottawa puisque c'est là que se fait la redistribution de la richesse canadienne entre régions.

Cette culture économique traditionnelle est au cœur de l'interprétation de la politique nationale de la fin du dix-neuvième siècle par Harold Innis[4] et l'inspiration profonde de tout un groupe de penseurs de l'université Queen's depuis les années trente. On peut voir leur influence en filigrane dans de nombreux travaux de la commission Rowell-Sirois et sur les débats de l'après-guerre. Elle atteint son zénith en 1957 quand on signe les accords fédéral-provinciaux sur la péréquation : un arrangement par lequel les diverses provinces du Canada s'entendent pour verser au gouvernement fédéral une portion de leurs surplus fiscaux de manière à permettre au gouvernement fédéral de subventionner les régions moins bien nanties en vue d'assurer une certaine homogénéisation du niveau des services publics offerts aux citoyens à travers le pays.

Le livre de Hardin paraît au moment même où cette culture économique traditionnelle commence à s'effriter sous les coups de crises répétées de l'État keynésien qui en est l'instrumentation fondamentale : c'est d'abord l'inflation systémique du tournant des années soixante-dix, quand tous les pays industrialisés tentent en même temps de relancer leur

---

4. J. H. Dales, « Some Historical and Theoretical Comments on Canada's National Policies », *Queen's Quarterly*, vol. 71, automne 1964, p. 297-316.

croissance économique par des politiques monétaires et fiscales de type keynésien[5]; ensuite le déficit de légitimité, à proportion qu'il devient clair que l'État n'a plus ni l'autorité morale ni la compétence technique pour faire face aux défis des années soixante-dix[6]; et puis la crise budgétaire qui révèle l'incapacité de l'État à réconcilier sa double obligation d'atténuer les difficultés sociales et de soutenir le processus d'accumulation du capital sans engendrer des déficits insupportables à long terme[7].

Ces ratés montrent clairement que les succès mitigés de l'État keynésien sont obtenus au prix d'une paralysie de plus en plus grande de la capacité créatrice de valeur ajoutée du système économique[8]. L'égalitarisme démocratique, fondant un centralisme compulsif dans le but de redistribuer de plus en plus de ressources, va donc s'essouffler.

Au Canada, on va commencer à réagir à cette crise dans les années soixante-dix, mais maladroitement et avec beaucoup de lenteur parce que le soubassement socioculturel de notre économie continue à être dominé par notre habitus centralisateur. L'éphémère gouvernement Clark va explorer des solutions de rechange partant des communautés, mais il n'aura pas le temps d'installer ses batteries. Ce n'est qu'avec l'arrivée au pouvoir du gouvernement Mulroney qu'on va clairement proposer une stratégie de dévolution des pouvoirs : déréglementation, décentralisation et privatisation. Mais les progrès seront assez lents. Tant l'opposition officielle à Ottawa que les gouvernements des provinces vont continuer tout au long des années quatre-vingt à dénoncer la politique du gouvernement Mulroney. On ne voit pas la nécessité de modifier la gouvernance du pays car on reste convaincu, dans ces milieux, qu'il

---

5. F. Cairncross et H. McRae, *The Second Great Crash*, Londres, Methuen, 1975.

6. J. Habermas, *Legitimation Crisis*, Boston, Beacon, 1973.

7. J. O'Connor, *The Fiscal Crisis of the State*, New York, St. Martin's Press, 1973.

8. F. Hirsch, *Social Limits to Growth*, Cambridge, Cambridge University Press, 1976.

n'est rien qu'un peu de croissance économique ne pourra résoudre.

L'hésitation à repenser le système de pilotage du pays est d'autant plus grande qu'à cette époque la population en général ne semble pas encore prête à accepter une transformation fondamentale des règles du jeu de la fédération, ainsi que le montrent à l'évidence les débats sur l'accord du lac Meech. Seule la récession du début des années quatre-vingt-dix et la résurgence du mouvement souverainiste au Québec vont forcer les intervenants à prendre conscience de la crise profonde de nos institutions. C'est encore très lentement cependant qu'on va commencer à accepter théoriquement qu'il doit y avoir réforme de notre gouvernance. Il y a encore bien loin de l'intelligence de ces choses à l'action concrète.

Car l'habitus centralisateur veille au grain. Son message va continuer d'être considéré comme un viatique par de nombreux grands bureaucrates d'Ottawa et par une certaine élite politique fédérale encore inspirée par cet évangile de la centralisation. À preuve, la ferveur engendrée par la récente visite à Ottawa d'un pèlerin de Kingston venu livrer le message de la pérennité de la culture économique traditionnelle[9] au moment même où se mijote un plan majeur de dévolution dans les antichambres du pouvoir[10].

Dérive vers une nouvelle culture économique

Si la culture économique traditionnelle s'effrite à mesure que ses deux piliers se désagrègent, une culture économique nouvelle ne naît pas instantanément. Toute la période des années quatre-vingt est une quête fébrile de nouveaux fondements capables d'assurer une adaptation heureuse entre le contexte nouveau et certaines valeurs considérées comme fondamentales (liberté, pas d'inégalités trop destructrices, etc.).

9. K. Banting, « Notes for Comments to the Deputy Ministers Luncheon », 5 janvier 1996, photocopié.

10. M. Janigan et E. K. Fulton, « The Master Plan : A Draft for a New Canada Goes Before the Cabinet », *Maclean's*, 5 février 1996, p. 18-19.

Même si des pierres sont apportées à cette construction dans les années quatre-vingt [11], ce n'est qu'au début des années quatre-vingt-dix qu'on commence à mettre en place la philosophie économique de rechange. Les contours de la nouvelle culture économique transparaissent dans les travaux de praticiens, dans certains documents officiels, mais aussi dans certains textes d'universitaires [12].

Cette philosophie économique nouvelle est d'abord construite sur la subsidiarité. L'État subsidiaire [13] prend le contrepied de l'État centralisateur. Faisant du citoyen le centre de la réflexion, on laisse entendre que celui-ci devra accepter bien davantage de responsabilités personnelles pour sa survie, son mieux-être et son développement. L'État ne viendra à son secours qu'en tant qu'armée de réserve quand il aura épuisé ses moyens. L'aide devra venir de préférence de la communauté; à défaut, on s'adressera à une instance de gouvernement aussi proche que possible du citoyen. C'est uniquement s'il est impossible de fournir efficacement cette aide localement, régionalement, etc., qu'on remontera à un niveau supérieur (national, international, etc.).

Cette nouvelle culture économique a eu des effets importants sur la façon de penser la gouvernance car elle implique une re-responsabilisation des citoyens, une dévolution massive des programmes fédéraux vers le privé et le secteur sans but lucratif ou des instances gouvernementales régionales ou locales. Comme les personnes et les instances régionales ou locales ont accès à des ressources humaines et financières bien

---

11. A. Breton, « Comment », dans *Report of the Royal Commission on the Economic Union and Development Prospects*, vol. 3, 1985, p. 486-526.

12. M. Côté, *By Way of Advice*, Oakville, Mosaic Press, 1991; B. Bouchard, « Document présenté par le Canada sur les nouvelles orientations de la politique sociale », OCDE, 8-9 décembre 1992; R. Simeon, « Globalization and the Canadian Nation-State », dans G. B. Doern et B. P. Purchase (dir.), *Canada at Risk? Canadian Public Policy in the 1990s*, Toronto, C. D. Howe Institute, 1990, p. 46-58; G. Paquet, « L'état-stratège », dans J. Chrétien (dir.), *Recherche de convergences*, Hull, Voyageur, 1992, p. 91-111.

13. C. Millon-Delsol, *L'état subsidiaire*, Paris, PUF, 1992.

différentes, un transfert de responsabilité vers les personnes et le niveau local ne peut entraîner qu'un accroissement des inégalités : des zones riches de l'Ontario ou de la Colombie-Britannique pourront se payer des services qui seront hors prix pour le Cap Breton ou certaines zones périphériques de Terre-Neuve. L'acceptation de la décentralisation entraîne donc le remplacement de l'ancienne philosophie de l'égalitarisme réalisé par les opérations d'Ottawa par une philosophie de négociation explicite des inégalités inacceptables. Or, même la prise en compte de celles-ci et la mise en place de correctifs minimaux pour maintenir le système social dans un corridor considéré comme acceptable ne sont pas possibles sans des assises nouvelles pour une solidarité restreinte, construite sur une notion renouvelée de citoyenneté. Cette philosophie a déjà donné naissance à des travaux d'architecture sociopolitique remarqués [14].

Le choix incontournable de la décentralisation comporte inéluctablement un recadrage de nos vues sur le fédéralisme. À l'ère des *droits sociaux identiques* pour tous les citoyens, que promulguent de haut en bas les législatures, va succéder une ère des *besoins particuliers des citoyens*, souvent différents d'une région à l'autre du pays et réclamant par conséquent des actions supplétives diversifiées. À l'ère de l'égalitarisme de droit va succéder l'ère de la négociation pour déterminer ce qui constitue l'inégalité inacceptable. À l'ère de la vache sacrée de l'unité nationale par l'opération de ses politiques sociales et culturelles normalisées va succéder l'ère d'une acceptation explicite de différences entre les politiques sociales et culturelles des diverses portions du pays. On passe du fédéralisme homogénéisateur de haut en bas à un fédéralisme de coordination de bas en haut.

Pour fixer les idées, on peut dire qu'on est passé d'une structure de gouvernance typique des grands navires de guerre (c'est-à-dire fortement centralisée et hiérarchisée) à une structure de gouvernance comme on en voit dans les grands voiliers

---

14. A. Burelle, *Le mal canadien*, Montréal, Fides, 1995 ; G. Gibson, *Thirty Million Musketeers*, Vancouver, Fraser Institute, 1995.

(c'est-à-dire une gouvernance distribuée, construite sur l'intelligence coordonnée de chacun de bas en haut). Dans ce monde de gouvernance distribuée, les organisations performantes sont celles qui ont trouvé des manières de faire qui combinent heureusement concurrence et coopération, qui s'incarnent dans des processus de gouvernance décentralisée, distribuée, collaborative et adaptative [15].

Le fédéralisme est un de ces types d'organisations qui créent une sorte de réseau pensant. Il est capable non seulement de s'ajuster très rapidement avec des coûts de transition minimes selon les besoins et le moment, mais aussi d'apprendre vite en mobilisant la connaissance distribuée à travers le réseau. Une telle souplesse vient de la possibilité de se donner accès à la diversité ainsi qu'à l'expérimentation en contextes connexes mais différents [16].

La concurrence entre localités, régions et provinces n'engendre pas nécessairement un niveau de services égal partout. Mais les citoyens mal servis par une province peuvent toujours se déplacer vers des régions où la constellation des taxes et services publics correspond mieux à leurs préférences. Ces ajustements servent d'ailleurs de discipline pour les divers gouvernements locaux : ils ne peuvent poursuivre des objectifs déraisonnables au moyen de politiques inefficaces sans imposer des coûts fiscaux plus élevés à leurs citoyens et risquer de faire fuir la population.

Cette concurrence entre régions, provinces et localités peut certes devenir destructrice. Il faut donc trouver des façons de se prémunir contre la concurrence excessive et s'assurer une sorte de coordination minimale pour qu'un mélange viable de concurrence et de collaboration s'accomplisse. Pour que cette coopération devienne réalité, il faut travailler à créer les forums nécessaires afin que la conversation et le multilogue deviennent possibles. C'est un peu le sens de l'expression *workable competition* — sorte de concurrence tolérable qui suscite des

---

15. K. Kelly, *Out of Control, op. cit.*, p. 140-197.
16. P. Laurent et G. Paquet, *Épistémologie et économie de la relation. Coordination et gouvernance distribuée*, Paris, Vrin, 1998.

pressions suffisantes pour que chacun tente d'aller jusqu'au bout de ses limites, mais sans engendrer des guerres économiques et sociales destructrices, parce que chacun garde en tête le degré de concertation, d'harmonisation et de codécision qui doit se réaliser [17].

À propos du ciment social minimal

Le passage de la culture économique traditionnelle fondée sur un grand usage du secteur public et de la redistribution interrégionale à la nouvelle culture économique fondée sur la subsidiarité et le fédéralisme de coordination qui vise seulement à éliminer les inégalités inacceptables constitue un changement radical de direction. Autant la première dépend d'une intervention étatique de haut en bas pour discipliner et pour actualiser des droits promulgués, autant la seconde va de bas en haut, part des besoins divers des citoyens et compte sur la concurrence et la coopération pour maintenir une certaine discipline transversale.

Le vieil habitus centralisateur bloque toutefois systématiquement le développement de la nouvelle culture. Deux logiques reviennent constamment à la surface des débats pour défendre la centralisation : la première est fondée sur son efficacité sociale ; la seconde présente la normalisation comme principe intégrateur. Dans les deux cas, il nous semble qu'il s'agit de sophismes.

Vu qu'il est devenu de plus en plus difficile de défendre la centralisation en tant qu'instrument économique efficace, on a récemment commencé à la présenter comme la condition nécessaire pour l'existence de la communauté nationale. La redistribution serait gage de solidarité et créatrice de communauté, que des normes nationales ne peuvent que renforcer. Or, comme il ne peut y avoir de redistribution sans centralisation, on est donc amené à favoriser la centralisation au nom de son efficacité sociale [18].

---

17. A. Burelle, *op. cit.*
18. K. Banting, art. cité.

Cette position est bâtie sur une démonstration subtile en trois temps. D'abord, on suggère que la redistribution des revenus et de la richesse est nécessaire et suffisante pour que se constitue une communauté. Ensuite, on défend les programmes sociaux comme moyen de nourrir et renforcer ce sens de la communauté. Enfin, on soutient que des normes nationales renforcent encore le sens de la communauté et que le manque d'un instrument fédéral de coercition des provinces ferait que le pays dégénérerait *en communauté de communautés*, en un monde marqué par des inégalités plus grandes, puisqu'on n'essaierait même plus d'égaliser les résultats à tout prix.

Nous croyons que ce genre de raisonnement est bancal. D'abord, il est facile de montrer que les membres d'une communauté ont des obligations réciproques qui vont bien au-delà du simple partage interrégional du pot au beurre. L'idée que l'égalitarisme constitue le moteur de la communauté est un sophisme pernicieux. Il engendre plutôt l'envie et la violence [19]. Ensuite, il est indéniable que certains liens de redistribution du revenu et de la richesse peuvent renforcer la solidarité, mais rien ne permet de conclure que la communauté serait minée en l'absence de ce que Keith Banting appelle joliment « le blanchiment interrégional de l'argent » (*an inter regional laundering of money*). Finalement, s'il est vrai que l'abandon de normes nationales va probablement augmenter les inégalités entre régions en engendrant des services publics mieux ajustés aux préférences et aux ressources de chacune d'elles, il est incorrect de présumer que cette nouvelle *communauté de communautés* serait un résultat désastreux. On peut tolérer facilement des inégalités entre communautés qui ont un esprit, des valeurs et des priorités différents. L'imposition de normes uniformes n'est ni nécessaire ni suffisante pour que perdure un Canada socialement et culturellement fort.

C'est l'idéologie égalitariste et non le sens de la communauté qui engendre la propension à centraliser. On a tort de

19. P. Laurent et G. Paquet, « Intercultural Relations: A Myrdal-Tocqueville-Girard Interpretative Scheme », *International Political Science Review*, vol. 12, nº 3, 1991, p. 173-185.

défendre la centralisation comme moyen d'efficacité sociale. En fait, la centralisation favorise la poursuite d'un égalitarisme dont il est clair, selon les sondages, qu'il ne correspond plus aux souhaits des Canadiens. On ne saurait donc leur imposer ce régime simplement en le déclarant socialement supérieur à des régimes divers et inégaux, mieux ajustés aux ressources disponibles et aux préférences des citoyens des régions.

L'homogénéisation comme principe intégrateur est un autre argument pour défendre l'uniformisation et la normalisation des services sociaux et culturels. Si l'on en croit les tenants de cette position, des programmes nationaux créent des sphères d'expérience créatrice de communauté, et des normes nationales définies à Ottawa sont porteuses de cohésion interrégionale.

Or, la centralisation a au contraire pour effet de balkaniser le pays. En fait, au Canada, à travers les jeux du fédéralisme fiscal et des subventions conditionnelles du gouvernement fédéral aux gouvernements provinciaux, Ottawa s'est arrogé le droit de définir unilatéralement de nombreuses normes que les provinces ont dû accepter pour ne pas être punies financièrement. Il en est résulté un clivage entre les coûts et les prix au niveau des régions dont l'effet est de bloquer les ajustements naturels (flux de capitaux, de ressources humaines, etc.) entre régions. Ce genre de normalisation *cum* péréquation qui a caractérisé le fédéralisme canadien (standardisation forcée du niveau des services publics et mécanisme de redistribution des ressources fiscales entre régions pour leur permettre de financer les services ainsi normalisés) déresponsabilise les provinces puisqu'on est amené, au nom de l'homogénéisation, à donner d'autant plus aux provinces qu'elles gèrent mal. On fausse donc les jeux de la concurrence entre régions et on balkanise le pays. Jean-Luc Migué a suggéré que cet effet diviseur infectait soixante pour cent des dépenses fédérales en 1960 et plus de soixante-quinze pour cent en 1990 [20].

---

20. J.-L. Migué, « The Balkanization of the Canadian Economy: A Legacy of Federal Policy », dans F. Palda (dir.), *Provincial Trade Wars: Why the Blockade Must End*, Vancouver, The Fraser Institute, 1994, p. 107-130.

Qui plus est, l'imposition des mêmes normes à des régions dont les ressources sont extrêmement différentes ne peut que créer des privilèges pour certaines parties du pays à qui l'on verse de généreuses subventions pour permettre à leurs citoyens de jouir de services trop coûteux pour leurs moyens. Ces régions subventionnées n'auront de cesse de défendre ces privilèges (et les transferts fiscaux qui y sont associés) contre les autres régions du pays. On est loin d'avoir là un instrument de cohésion nationale. Ce serait plutôt une source de zizanie. La centralisation et la normalisation ne sont pas des principes intégrateurs, mais des forces qui divisent.

Les nouvelles voies de la coordination

Dans un univers de gouvernance distribuée, la coordination présente un défi important. Or, si la coordination heureuse ne passe pas par la centralisation et l'homogénéisation, comment s'accomplit-elle là où le pouvoir est dispersé ? Il nous semble que cette coordination passe d'abord par une nouvelle socialité. Rappelons que la socialité est la capacité humaine à inventer des ciments sociaux qui font tenir les groupes en ensembles stables.

Au cœur de la nouvelle socialité, il n'y a plus de logique dominante, mais une série de logiques entrelacées qu'il s'agit d'articuler harmonieusement. En effet, alors qu'on a pris bien du plaisir à dénoncer le simplisme et les dangers d'une logique dominante de marché ou d'une logique dominante de la tribu, on a été porté à vouloir les dépasser dans la mise en place d'une logique dominante syncrétique bâtie sur l'État et fortement ancrée dans des valeurs imposées d'en haut comme principes d'intégration. Ces mécanismes restent nécessairement déficients parce qu'ils veulent laminer un pluralisme incontournable. La nouvelle socialité doit être syncrétique, mais elle doit aussi échapper à l'hégémonie de toute logique dominante : elle doit être une résultante souple et évolutive d'une combinaison de forces qui l'immunisent contre tout genre de monisme, et être construite sur une logique transversale.

Les seules assises fermes pour la nouvelle socialité semblent être celles de la société civile, cet ensemble bariolé d'institutions non gouvernementales assez robustes pour faire contrepoids aussi bien à l'État — sans empêcher celui-ci de jouer son rôle de gardien de la paix et d'arbitre entre les intérêts majeurs, mais en l'empêchant de dominer ou d'atomiser le reste de la société — qu'à la tribu — sans empêcher celle-ci de jouer son rôle de sociabilité, mais en l'empêchant de tyranniser les citoyens et de les soumettre au carcan paralysant de la tradition [21].

Reste à se demander comment vont se cristalliser en une socialité nouvelle au Canada le degré de confiance mutuelle et le goût de la coopération nécessaires pour que la coordination soit heureuse, et comment ce genre de coordination pourra s'accomplir grâce à un leadership de bas en haut, c'est-à-dire sans qu'on ait à recourir à la coercition de l'État pour produire les normes et les mécanismes capables d'assurer la bonne résolution du jeu socioéconomique.

Centralité de la société civile

Réintégrer la société civile dans nos débats part d'une prise en compte de la culture et des soubassements socioculturels de l'économie parce que c'est là que se bricole notre habitus. On peut montrer par exemple des différences fondamentales entre les cultures des différents capitalismes [22]. Mais quel que soit le contexte, la nouvelle coordination doit prendre en compte un certain nombre de réalités nouvelles incontournables : la spectralité de la socioéconomie moderne (décomposée en jeux fragmentés, mais aussi évanescente, incapable de se cristalliser fermement) ; les relations commutatives entre personnes (un monde d'identités multiples et partielles où il y a cohabitation avec commutation via des contrats instables, mouvants et constamment renégociés) ; la modularité du citoyen (capable

---

21. E. Gellner, *Conditions of Liberty*, Londres, Hamish Hamilton, 1994.
22. C. Hampden-Turner et A. Trompenaars, *The Seven Cultures of Capitalism*, New York, Currency Doubleday, 1993.

de s'engager par morceaux simultanément dans des aventures diverses, d'opérer dans plusieurs registres en même temps); enfin, un pluralisme économique social et politique omni-présent qui, sans brimer l'individualité, veut protéger contre les excès du centralisme[23].

Dans cet univers en ébullition, il n'est plus possible de s'en remettre à la jungle du marché et aux droits qui règlent les jeux de l'échange (*dominium*) non plus qu'à ceux qui fondent et règlent les jeux de la contrainte (*imperium*). Il faut compter sur une sorte de «droit social» qui fonde et règle les jeux de l'intégration, de la coexistence avec l'autre d'une manière plurielle, plus souple et plus floue, au cœur de la société civile.

Robert Putnam a fait bon usage du concept de capital social pour caractériser l'ensemble des réseaux, normes et capital de confiance mutuelle qui permettent aux individus de travailler ensemble à poursuivre des objectifs communs. Et il parle d'«engagement civique» pour connoter les connexions des gens avec la vie de leur communauté[24]. C'est un peu la même idée que développe Fukuyama[25]. Cet accent nouveau sur le niveau de sociabilité (la capacité humaine à tisser des réseaux) est important puisqu'il est porteur d'une plus grande intensité d'interaction.

D'une part, la sociabilité est, en un sens, l'effet d'écho de la socialité, des règles qui vont permettre à une société de «vivre ensemble» et de s'adapter de la façon la plus heureuse. La société civile est le ciment social qui permet et suscite une certaine densité et une certaine qualité des interrelations por-teuses d'une sociabilité plus grande et, en conséquence, d'une capacité à entreprendre (c'est-à-dire à innover, maintenir et agrandir la capacité à créer de la richesse). D'autre part, le

---

23. J. Baudrillard et M. Guillaume, *Figures de l'altérité*, Paris, Descartes et Cie, 1994; E. Gellner, *op. cit.*; G. Paquet, «Penser la socialité au Québec», dans J. Létourneau *et al.*, *Des identités en mutation*, (à paraître).

24. R. D. Putnam, «The Strange Disappearance of Civic America», *The American Prospect*, no 2, 1996, p. 34-48.

25. F. Fukuyama, *La confiance et la puissance. Vertus sociales et prospérité économiques,* Paris, Plon, 1997.

ciment social qui va « prendre » émergera des réseaux de sociabilité et des réseaux à la Putnam ; en pratique, la sociabilité
engendre les règles simples (souvent implicites) qui assurent
la coordination des activités. Elle constitue donc aussi source
de la socialité.

Pour certains, comme Granovetter, la sociabilité est
première[26]. Ils suggèrent que l'existence de ces réseaux suffit
pour que des règles simples encastrent les jeux de l'économie et
assurent la coordination. D'autres, comme Platteau, à partir
d'analyses inspirées par la théorie des jeux, suggèrent que la
simple sociabilité n'est jamais suffisante, qu'il faut des institutions coercitives (privées et publiques) pour appuyer la
possibilité de sanction, faute de quoi la coordination reste bien
imparfaite[27]. Dans une société comme la nôtre, cela se tradui-
rait par certains arrangements fédéral-provinciaux nécessaires
pour assurer coordination, harmonisation et arbitrages.

Pour d'autres, la socialité est première. Il leur apparaît bien
improbable que ces réseaux puissent émerger sans un soubassement d'ordre moral, sorte de moralité généralisée comme l'est
ailleurs ce qu'on appelle culture organisationnelle. Ce « contrat
moral » et le « droit social » qui l'incarne deviennent des préa-
lables pour le développement de réseaux : des règles collectives
de solidarité rendent les alliances stratégiques possibles[28].

Pour le moment, cette intercréation socialité-sociabilité
joue mal au Canada. L'habitus centralisateur empêche l'auto-
organisation de se cristalliser de bas en haut. Faute d'une
gouvernance issue organiquement de cette interaction au cœur
de la société civile, le système canadien est envahi et déchiré

---

26. M. Granovetter, « Economic Action and Social Structure : The
Problem of Embeddedness », *American Journal of Sociology*, vol. 91, n° 3,
1985, p. 481-510.

27. J. P. Platteau, « Behind the Market Stage where Real Societies
Exist », *The Journal of Development Studies*, vol. 30, n° 3, avril 1994, p. 533-
577, et vol. 30, n° 4, juillet 1994, p. 753-817.

28. R. Hollingsworth, « Variation Among Nations in the Logic of
Manufacturing Sectors and International Competitiveness », dans D. Foray
et C. Freeman (dir.), *Technology and the Wealth of Nations*, Londres, Pinter,
1993, p. 301-321.

par la consolidation d'*ummas* puissants : sortes de communautés de foi et d'engagement partagé à vivre selon les normes d'un ordre en émergence. Un *umma* se propose *ex ante* comme une philosophie de gouvernance capable de donner un sens à la dispersion des pouvoirs et à leur reconfiguration souple quand les circonstances l'exigent, mais aussi d'ajuster les liens techniques et les conventions à la culture locale [29].

Ces divers *ummas* (souverainiste, centralisateur, intégriste, réformiste, etc.) engendrent tous à peu près le même discours : chacun soutient que c'est faute d'adopter son point de vue que crises, conflits et injustices surviennent.

Alors qu'en principe ils devraient être à la source d'un multilogue riche entre groupes, ces *ummas* contribuent plutôt pour le moment à bloquer le dialogue, puisqu'ils sont plutôt fermés, monistes et sourds. En conséquence, ils empêchent aussi la coordination.

Dans la nouvelle économie fondée sur l'information et la connaissance, la gouvernance, comme le travail, est une conversation [30]. La coordination doit donc s'enraciner dans quelques règles simples qui vont assurer que la conversation va continuer. Elle est de la même nature que celle qu'engendre le marché : c'est une coordination robuste construite sur des liens ténus [31]. La grande différence vient du fait que c'est moins du marché (qui est de moins en moins capable de coordonner dans un monde d'information) que de la société civile que vont venir les fondements de cette coordination [32].

Au Canada, c'est presque organiquement (et en dépit des *ummas* et institutions de gouvernance en place) que la coordination a commencé à émerger. La réinvention de la gouvernance à partir du principe de subsidiarité a entrepris de redonner à la personne et à la société civile une importance

---

29. E. Gellner, *op. cit.*

30. A. M. Webber, « What's So New About the New Economy ? », *Harvard Business Review*, vol. 71, nº 1, 1993, p. 24-42.

31. M. Granovetter, « The Strength of Weak Ties », *American Journal of Sociology*, vol. 78, 1973, p. 1360-1380.

32. S. Turkle, *Life on the Screen*, New York, Simon & Schuster, 1995.

première. La socialité qui en découle est fondée sur une sorte de déclaration d'interdépendance bâtie sur le pluralisme, la modularité du citoyen et des rapports de cohabitation avec commutation facilités par des dispositifs qui permettent de frôler l'autre, de le côtoyer de façon partielle mais pourtant robuste.

Leadership transversal

L'habitus centralisateur charrie évidemment une notion de leadership vertical : une force qui pousse le système jusqu'à ses limites par une pression exercée par ceux qui sont en position d'autorité. Cette notion de leadership connote une gouvernance marquée par la hiérarchie et des liens verticaux de commandement. Le leader demande qu'on lui obéisse, qu'on lui soit loyal. C'est justement cette notion de leadership que James O'Toole remet en question en utilisant une toile du peintre belge James Ensor, *Entrée du Christ à Bruxelles en 1889*[33] : on y voit une foule bigarrée, un happening chaotique, une masse humaine remplissant les rues de la capitale belge. Ce qu'il y a de surprenant dans cette œuvre, c'est qu'on ne sait pas exactement où est le Christ. C'est seulement après un peu de tâtonnement qu'on peut le repérer, en haut, un peu à gauche, menacé d'être engouffré par la cohue.

O'Toole y voit le symbole des contraintes auxquelles fait face le leader moderne : comment devenir le leader de cette masse inattentive d'individus libres, et tous déterminés à en faire la démonstration ? En attirant leur attention, suggère O'Toole ; et comment y arriver sinon en se mettant à leur écoute, non pas pour répondre à leurs requêtes à la lettre, mais, comme l'écrit James Madison, *to refine the public views* d'une manière qui transcende les bruits de surface de la mesquinerie, des contradictions et des intérêts personnels[34].

Les grands leaders mènent le changement de bas en haut en se faisant l'écho des valeurs de ceux qui les suivent, après les

33. J. O'Toole, *Leading Change*, San Francisco, Jossey-Bass, 1995.
34. *Ibid.*, p. 10.

avoir écoutés longuement. Les leaders amènent leurs troupes au-delà de leurs limites mais pas déraisonnablement vite ou en réclamant un acte de foi. Car pour pouvoir suivre, il faut d'abord respecter son leader et être persuadé que celui-ci a le bien-être de ses hommes comme objectif principal. La troupe a besoin de respect. Se conduire de manière paternaliste à son égard — même pour son bien —, c'est nier son droit à la dignité.

Dans un système de gouvernance distribuée, cette sorte de leadership ne peut s'accomplir à moins que le leader et ses partisans ne développent une capacité à apprécier les limites que leur imposent leurs responsabilités mutuelles. Quant aux conditions permettant l'émergence de ce type de leadership transversal, il faut que la conversation entre les chefs et la base soit conduite dans un cadre propice à l'apprentissage social, où le dialogue se déroule dans un environnement marqué par l'écoute, le tact et la civilité. À cela, deux grandes forces vont contribuer : une nouvelle façon de penser et une nouvelle reconnaissance de la centralité de certaines vertus minimales.

La nouvelle façon de penser ouverte, intégrante et évolutionnaire met l'accent sur la synergie, l'apprentissage organisationnel pour assurer le développement d'une société vivable[35]. Il s'agit d'une perspective dont l'horizon temporel est plus long, dont la compréhension du contexte est plus riche, mais qui, surtout, met au centre de son attention la dimension cognitive des organisations. L'apprentissage organisationnel à deux boucles (on apprend les meilleurs moyens d'atteindre ses fins mais aussi à modifier ses objectifs à proportion que les circonstances changent) devient donc la force maîtresse qui donne son sens au leadership transversal de bas en haut[36].

En plus d'une nouvelle façon de penser, la société redécouvre qu'elle a besoin d'une morale, d'un certain sens des limites qui doit s'incorporer dans les organisations en apprentissage et « au cœur des relations interpersonnelles, au cœur

35. W. Bennis, J. Parikh et R. Lessem, *Beyond Leadership*, Oxford, Blackwell, 1994.

36. C. Argyris et D. Schon, *Theory in Practice*, San Francisco, Jossey-Bass, 1974.

même de la vie publique parce que le droit ne règle pas tout ». Or, cela ne peut se faire que par une centralité nouvelle donnée à des vertus comme la politesse et la civilité qui assurent que les gens ont des relations de réciprocité positive. Il s'agit là de valeurs et de vertus minimales qui étaient autrefois injectées dans le système social par l'éducation, la religion ou la communauté. Dans le contexte moderne, ces vertus doivent être réinventées [37].

On sait que les valeurs s'apprennent et que ce sont en fait des choix neutralisés. L'apprentissage des vertus se fera donc à mesure qu'elles deviennent des instruments de survie. Or, s'il est un aspect du discours public au Canada qui inquiète, c'est la myopie et les difficultés aiguës d'apprentissage de nos organisations et de nos institutions, l'escalade d'incivilité qui a commencé à les caractériser et l'insuffisance des filtres qui devraient en principe empêcher la diffusion massive de désinformation et inspirer le genre de retenue capable de supporter et d'encourager un dialogue serein porteur d'apprentissage rapide. Sans ces protections, le discours public ne peut que déraper [38].

Au moment où on brûle le drapeau national en Nouvelle-Écosse, où on brise les carreaux à la législature de l'Ontario, où les ministres fédéraux et provinciaux s'insultent comme des charretiers en cavale par médias interposés, et où partout les mots commencent à perdre leur sens parce qu'on les retourne comme des chaussettes pour leur faire dire exactement leur contraire, on peut avancer que le discours public est dévoyé. On tombe dans la novlangue.

Le résultat est un affadissement des valeurs, un apprentissage social lent et un enlisement des débats qui laissent le système social à la dérive parce que les mécanismes d'autorégulation et d'auto-organisation ne peuvent plus s'y accomplir.

---

37. A. Comte-Sponville, *Petit traité des grandes vertus*, Paris, PUF, 1995 ; M. Gauchet, « Entrevue sur la morale civique », *Le Point*, 3 février 1996, p. 54-56.

38. M. Kingwell, *A Civil Tongue*, University Park (Penn.), The Pennsylvania State University Press, 1995.

C'est le monde des antivertus, des commérages et des baliver-
nes, de la mise en scène permanente des débats par des acteurs
qui ont trop à perdre dans un dialogue franc pour accepter de
le laisser suivre son cours.

Faut-il conclure que le système est tellement enrayé qu'on
ne saurait le remettre en marche? Faut-il désespérer de voir
une gouvernance nouvelle s'accomplir malgré l'habitus
centralisateur? Il faut clairement dire non. Le fait même que
ces faits soient débattus et que l'habitus centralisateur soit
dénoncé constitue le premier pas dans un processus de
transformation. Cette transformation sera lente d'abord mais
pourrait s'accomplir ensuite brutalement. En effet, même si les
pressions s'accumulent sans effet évident pour le moment, il
semble qu'une toute petite pression additionnelle pourrait
déclencher le mouvement de bascule. Certains ont cru que le
référendum du 30 octobre 1995 pouvait être la goutte qui allait
faire déborder le vase. La panique engendrée par le résultat serré
a déclenché au pays des réflexions et des débats qu'on n'avait
pas vus depuis longtemps. Mais cela n'a pas suffi à mettre en
marche le processus de mutation de l'ordre institutionnel.

Nous croyons pourtant détecter, dans la nouvelle sensibilité
dont font preuve de nombreux groupes au pays, des signes d'un
activisme de la base, qui promet d'alimenter les forces d'apprentissage, de changer les manières de penser, de transformer
les valeurs, de faire vibrer la société civile de toutes ses forces et
d'engendrer une coordination de bas en haut par le truchement
d'un leadership transversal, tant au Canada qu'au Québec,
mutatis mutandis.

Cet optimisme mesuré se nourrit de certains signes de
retour à un discours au quotidien, qui commence à échapper à
la langue de bois des idéologues et à la langue de coton des
gouvernants. Les gouvernants triturent toujours l'information,
mais le contrôle leur échappe; les idéologues semblent s'essouffler et leurs propos deviennent acides; les médias focalisent
et distorsionnent toujours l'information, mais ils ont perdu leur
capacité de mise en scène permanente. La démocratie y gagne:
cette démocratie qui refuse de se cantonner dans l'électoral ou

le plébiscitaire et qui exige d'être éthique ; cette démocratie qui insiste pour que le citoyen redevienne producteur de gouvernance [39].

---

39. D. M. Wright, *Democracy and Progress*, New York, Macmillan, 1948 ; G. Paquet, « Schumpeter et l'autre théorie de la démocratie », texte présenté au colloque Schumpeter organisé par le GRETSE et l'Association d'économie politique, 1990.

CHAPITRE 7

La gouvernance
dans le Québec de demain

> La théorie des institutions est à la
> sociologie ce que la théorie de la
> concurrence est à l'économie.
>
> L. M. LACHMAN

Au Québec comme ailleurs, on assiste actuellement à l'émergence lente d'un ordre institutionnel nouveau, mieux ajusté au contexte d'interaction obligée et de coopération de la société d'information. Cet ordre institutionnel, pas plus que les précédents, ne pourra s'imposer comme nouvel ensemble de règles du jeu social à moins de s'inscrire dans une structure, dans une technologie, dans une théorie: une structure, c'est-à-dire une série de rôles et de relations entre individus; une théorie, c'est-à-dire une représentation de ce que veulent dire l'ordre institutionnel, ses objectifs, ses opérations, son environnement, son avenir; et une technologie, c'est-à-dire un système de dispositifs ou de procédures obligés [1]. Ces trois dimensions sont interdépendantes: tout changement dans l'une entraîne des ajustements dans les autres.

---

1. D. A. Schon, *Beyond the Stable State*, New York, Norton, 1971; A. M. Ramos, *The New Science of Organizations*, Toronto, University of Toronto Press, 1981.

Au début, on a surtout cherché à comprendre l'évolution de l'ordre institutionnel en examinant les changements dans la structure et la technologie. On a bricolé à l'interface des institutions et des moyens de communication et de diffusion [2]. Plus récemment, on a porté beaucoup d'attention à la théorie — c'est-à-dire à l'impact de la représentation qu'on se donne de l'ordre institutionnel. Modèles mentaux, idéologies, systèmes de croyances sont autant de redescriptions ou de représentations qui peuvent, tout comme les contraintes matérielles, enclencher des changements dans l'ordre institutionnel. Une révolution dans les esprits peut changer l'ordre institutionnel.

Au Québec, on assiste à une telle révolution à mesure qu'on redonne au communautaire sa juste importance, et qu'on explore, maladroitement peut-être, la mise en place d'une gouvernance assise sur une nouvelle répartition du travail entre les trois mécanismes fondamentaux que sont l'État, le marché et la réciprocité. Cette révolution dans les esprits a engendré de nouvelles visions du processus de revitalisation de la société québécoise et de nouveaux projets de partage de la valeur ajoutée [3]. Il est vrai que le processus par lequel cette nouvelle gouvernance s'imposera reste mal défini, tout comme sont encore imprécis les contours du nouvel ordre institutionnel qui se cristallisera et la nouvelle dynamique qui orientera le développement du Québec. Cela ne signifie cependant pas qu'on n'ait aucune idée de l'orientation vraisemblable que le cours des choses va prendre ni qu'il soit impossible de catalyser le processus.

Dans les chapitres précédents, nous avons essayé de mettre en place un dossier documentaire et un appareil d'exploration. Ici, nous voudrions cerner l'évolution probable du Québec, de trois manières : d'abord, en précisant la *dérive* de l'ordre institutionnel suggérée par les inerties que nous avons notées ;

---

2. R. Debray, *L'état séducteur. Les révolutions médiologiques du pouvoir*, Paris, Gallimard, 1993.

3. L. Favreau, « Québec. L'insertion conjuguée avec le développement économique communautaire », dans J. Defourny *et al.* (dir.), *Insertion et nouvelle économie sociale*, Paris, Desclée de Brouwer, 1998, p. 159-182.

ensuite, en identifiant certaines *contraintes* qui limitent cette dérive; enfin, en mettant en lumière quelques *difficultés* auxquelles l'émergence d'une nouvelle solidarité se heurte et en indiquant des outils utiles pour en triompher.

La dérive de l'ordre institutionnel

Le nouvel ordre institutionnel doit se construire en symbiose avec les acquis traditionnels, mais il doit aussi se contenter de construire sur des liens ténus entre personnes qui ne s'engagent que partiellement, de manière à préserver leur malléabilité face à un environnement complexe qui change constamment.

Nouvelle coordination

La nouvelle coordination doit faire avec un certain nombre de réalités nouvelles incontournables: la spectralité de la socio-économie moderne, les relations commutatives entre personnes (un monde d'identités multiples et partielles où il y a cohabitation avec commutation via des contrats instables, mouvants et constamment renégociés), la modularité du citoyen (capable de s'engager par morceaux simultanément dans des aventures diverses, d'opérer dans plusieurs registres en même temps) et un pluralisme économique, social et politique omniprésent qui, sans brimer l'individualité, veut protéger contre les excès des intégrismes de toutes sortes[4].

L'ordre institutionnel doit aussi prendre en compte les contraintes qui accompagnent le nouveau mode de production de la connaissance[5] et les défis qu'elles se fixent dans l'action. Ce nouveau mode de connaissance commande la transdisciplinarité, l'hétérogénéité, l'hétérarchie organisationnelle et une grande impermanence; le contrôle de la qualité et la

---

4. J. Baudrillard et M. Guillaume, *Figures de l'altérité*, Paris, Descartes et Cie, 1994; E. Gellner, *Conditions of Liberty*, Londres, Hamish Hamilton, 1994; G. Paquet, «Institutional Evolution in an Information Age», dans T. J. Courchene (dir.), *Bell Canada Papers on Economics and Public Policy*, n° 3, 1995, p. 197-229.

5. Ce que M. Gibbons et ses collaborateurs ont baptisé *Mode 2* (*The New Production of Knowledge*, Londres, Sage, 1994).

performance deviennent bien davantage le résultat d'une prise en compte du contexte et des utilisateurs.

Et puis, il est important de se rappeler qu'il n'y a pas seulement des ressources matérielles, financières ou intellectuelles à exploiter, il y a aussi des ressources interpersonnelles à mobiliser et à exhausser, et une économie de la relation à bâtir[6]. Ce n'est que depuis peu qu'on a commencé à comprendre que le nouvel ordre institutionnel ne peut se construire que sur un meilleur usage des ressources interpersonnelles et sur le tripode marchés efficaces, États modestes et sociétés civiles transformées, et que la négligence du « troisième secteur » a été criminelle.

Finalement, il faut reconnaître que ce nouveau paradigme réclame une bonne dose de réalisme et de créativité. Pas question de fantasmer sur l'émergence organique d'une socioéconomie nouvelle qui rebalancerait les équations entre marché, État et société civile. On aurait tort de sous-estimer l'ampleur des défis que constitue la reconstruction d'un capital de confiance et d'un engagement civique actif dans un chantier où l'individualisme et le cynisme règnent. Il n'existe aucune fontaine de Jouvence à découvrir dans ce domaine. Tout ce qu'on peut espérer c'est identifier les fondations sur lesquelles l'on pourrait bâtir cette gouvernance nouvelle.

Nouvelle gouvernance

La problématique de la gouvernance reconnaît la variété des acteurs, la fragmentation, l'incohérence, le besoin de coordination entre eux, et la nécessité d'un bricolage permanent, d'une négociation continue pour qu'ils s'ajustent aux changements qui interviennent dans le contexte. En fait, l'apprentissage social en est le cœur[7].

---

6. U. Foa, « Interpersonal and Economic Resources », *Science*, vol. 171, nº 3969, 29 janvier 1971, p. 345-351 ; P. Laurent et G. Paquet, *Épistémologie et économie de la relation. Coordination et gouvernance distribuée*, Paris, Vrin, 1998.

7. G. Paquet, *Governance Through Social Learning*, Ottawa, University of Ottawa Press, 1999.

L'État-providence a fait place à l'État stratège, et l'économie de marché traditionnelle a été marginalisée par l'économie de réseau avec ses rendements croissants et ses coûts de transactions radicalement réduits[8]. La nouvelle gouvernance se construit donc dans un chantier fort différent de celui qui existait il y a encore une décennie. Il ne suffit pas de proposer de « nouvelles communautés », encore faut-il qu'elles s'arriment avec le nouvel État et la nouvelle économie si l'on veut une gouvernance heureuse.

Or, si l'on entrevoit déjà les contours du nouvel État en train d'émerger et si la dynamique de la nouvelle économie nomade a été décrite amplement[9], la nouvelle image du « troisième secteur » et de la société civile en train de prendre est moins nette. Le dossier de *L'Actualité* (octobre 1994) montre bien que la solidarité a pris la relève de gouvernements de plus en plus menottés par les déficits. Cela s'est traduit par une multitude de nouvelles initiatives éclatées, construites sur un discours des besoins (par opposition au discours des droits) : besoins de se prendre en main pour éliminer les inégalités inacceptables ou pour établir un plancher de sécurité permettant à chaque citoyen d'exercer ses libertés.

Certains incontournables

Plusieurs sont tentés de sombrer dans le pessimisme et de considérer comme presque insurmontable le défi de construire cette nouvelle socialité. Ils ne voient d'autre issue que le retour improbable aux valeurs traditionnelles[10]. Nous sommes plus optimiste, car il nous semble que, sans qu'on ne s'en rende

---

8. K. Kelly, « New Rules for the New Economy », *WIRED*, septembre 1997, p. 140-197 ; L. Downes et C. Mui, *Unleashing the Killer App*, Boston, Harvard Business School Press, 1998.

9. P. N. Giraud, *L'inégalité du monde*, Paris, Gallimard, 1996 ; G. Paquet, « Travail en crise, inégalité et exclusion : repères pour l'État-stratège », dans G. Laflamme *et al.* (dir.), *La crise de l'emploi*, Sainte-Foy, Presses de l'université Laval, 1997, p. 129-142.

10. G. Caldwell, « Le développement social et la société civile dans le Québec contemporain », *L'Agora*, vol. 5, n° 2, 1998, p. 9-12.

toujours bien compte, cette nouvelle socialité est déjà en train de s'inventer. Mais il faut aussi être réaliste dans toutes ces ambitions de transformer la gouvernance. Ce réalisme passe par l'analyse de certaines contraintes qu'on aurait tort de sous-estimer.

La trame cognitive de nos économies

La transformation de la trame de nos économies et la centralité nouvelle de la connaissance et de l'information ont profondément modifié les problèmes de coordination. Les mécanismes du marché ne sont plus aussi efficaces quand il s'agit d'information que quand il s'agit de biens; et la coercition de l'État achoppe aussi[11]. Mais en pratique, ces problèmes de coordination sont résolus par des dispositifs cognitifs collectifs, des repères communs que les acteurs acquièrent à partir des données contextuelles et de leur interaction, laquelle crée une communauté d'interprétation, une rationalité interactive[12]. Ce genre de capital cognitif commun[13] est au cœur du capital social au sens de Putnam[14]. C'est de là que sort l'apprentissage collectif.

La coordination par le biais de conventions produites collectivement est toujours imparfaite; elle constitue néanmoins une solution pratique en engendrant certaines attentes réciproques. Il s'agit cependant d'un référentiel nécessairement flou. On est proche ici des « institutions invisibles » de Kenneth Arrow[15]. Ce bricolage de solutions pratiques émerge du communautaire. Il dépend d'abord et avant tout, ici comme ailleurs, de la socialité.

---

11. G. Paquet, « Science and Technology Policy under Free Trade », *Technology in Society*, vol. 11, nº 2, 1989, p. 221-234.

12. T. C. Schelling, *The Strategy of Conflict*, Oxford, Oxford University Press, 1960; D. M. Kreps, « Corporate Culture and Economic Theory », dans J. E. Alt et K. A. Shepsle (dir.), *Perspectives on Positive Political Economy*, Cambridge, Cambridge University Press, 1990; A. Orléan (dir.), *Analyse économique des conventions*, Paris, PUF, 1994.

13. A. Orléan (dir.), *op. cit.*, p. 23.

14. J.-P. Dupuy, « Convention et *common knowledge* », *Revue économique*, vol. 40, nº 2, 1989, p. 361-400.

15. K. Arrow, *The Limits of Organization*, New York, Norton, 1974.

Au Québec, l'ethnographie des nouvelles formes associatives dans la société civile a bien montré que leur nombre et leur importance ont crû fortement et qu'elles ont pris différentes configurations (groupes de loisirs, groupes politiques, groupes d'entraide) au cours des dernières années [16]. Cet ensemble d'institutions ne constitue pas encore un véritable réseau suffisamment intégré pour qu'on puisse parler d'un capital cognitif commun ni d'une rationalité interactive capable de sous-tendre une sociabilité nouvelle. Certains sceptiques vont même jusqu'à dire que « le fait qu'il existe une communauté traversée de réseaux de solidarité et d'associations n'empêche pas que le communautaire soit une construction de sociologues et de travailleurs sociaux [17] ». Mais on peut aussi y voir les traces d'une capacité inédite de coordination par conventions, d'une socialité en construction.

Gouvernance floue, distribuée et transversale

L'une des principales constatations de ceux qui étudient les dispositifs cognitifs collectifs qui ont réussi en pratique à résoudre ces problèmes de coordination et à créer des « sociétés inclusives [18] » est que la coordination se fait non pas par des règles précises mais par des références aux valeurs. C'est le cas au Japon et en Suisse. Mais la conséquence est souvent une structure de gouvernance obligatoirement confuse et imprécise. Comme le suggère Kay, « le flou de ces sociétés s'est révélé une vertu économique, et non pas un défaut, pour autant qu'il a pu assurer l'adhésion à un ensemble de valeurs largement acceptées, tout en empêchant quelque groupe que ce soit [y compris l'État] de contrôler leur nature ou leur évolution [19] ».

Or, même si on a peur du flou, cette gouvernance nouvelle appelle un leadership flou et la notion même d'État est à revoir. Il ne peut plus s'agir d'un État monopoleur de la

---

16. A. Fortin, « Notes sur la dynamique communautaire », *Nouvelles pratiques sociales*, vol. 7, n° 1, 1994, p. 23-32.

17. *Ibid.*, p. 30.

18. J. Kay, « The Good Market », *Prospect*, vol. 8, 1996, p. 39-43.

19. *Ibid.*, p. 42.

violence publique, du grand uniformisateur. Il faut que l'État devienne simple *primus inter pares* et qu'il assume une forme différente de leadership. Côté forme, on verra apparaître un État qui ne s'arroge plus le rôle principal mais un rôle de suppléance : un État modeste, subsidiaire. Côté contenu, cet État plus éclaté ne sera pourtant pas impotent, mais son action sera davantage préceptorale : un État stratège, un animateur, un agent moral parmi d'autres.

Pour faire face à l'environnement en effervescence, les divers intervenants vont modifier leurs stratégies et utiliser l'environnement et ses pulsations comme le surfeur utilise la vague. Pour accélérer la vitesse de réaction de l'organisation, on va miser sur la participation, une attention aux opportunités, et un système de veille permanente qui permette à cette intelligence agrandie et plurielle de prospecter mieux, de s'informer plus adéquatement, d'apprendre plus vite pour s'ajuster plus vite.

Cette gouvernance exproprie la tête dirigeante de son monopole sur le pilotage effectif de l'organisation : les gestionnaires doivent devenir des animateurs d'équipes construites autour de projets. Ces projets sont autant de commandos ou de *task forces*, et les maîtres d'œuvre ne sont plus des « gestionnaires » de projets mais des « entrepreneurs » de projets. Ces entrepreneurs, guidés par certains principes généraux, vont continuellement restructurer leurs opérations selon les besoins du moment. On va par exemple construire le tunnel sous la Manche sur la base d'un manuel de projet de quelques dizaines de pages qui en exposent les seuls principes directeurs.

De telles stratégies réclament des structures modulaires, plus horizontales, plus légères. Au lieu des bureaucraties aux liaisons verticales, on a vu croître des clans et des réseaux construits sur des relations transversales. Chaque unité doit esquiver les contraintes procédurales pour se définir une mission propre et inventer des indicateurs de résultats et de performance.

Dans ces organisations nouvelles, la structure est souple. On est en face de *réseaux pensants* qui, comme les réseaux neuronaux, s'incorporent dans des structures flexibles, évolutives autour de nœuds de relations, de filières. Les structures décentralisées sont continuellement en changement, toujours en train de s'auto-réorganiser. On en voit les traces dans la quasi-désintégration des ministères en plus petites agences, la prolifération des commissions d'enquête, etc.

Au Québec comme ailleurs, on a commencé à mettre en place systématiquement des organisations de ce type. Il s'agit d'une gouvernance où les contrats moraux continuellement renégociés jouent un rôle important. Le plus grand danger de ces structures malléables est qu'elles peuvent en arriver à affaiblir considérablement les engagements : si tout est malléable, comment compter sur des engagements durables ?

De là le rôle crucial du nouvel État stratège. C'est l'ère de la politique préceptorale : les leaders politiques deviennent des éducateurs. Leur action nécessite des réseaux capables de mobiliser les communautés : des méso-forums régionaux, sous-régionaux et sectoriels. L'État se fait didactique, devient partenaire catalyseur. Les études sur l'institutionnalisation des services de proximité ont bien montré que c'est dans un partenariat communautaire-privé-public que se fait cette institutionnalisation [20]. C'est le cœur même de la nouvelle gouvernance.

Identités multiples et nouvelles communautés

La reconstruction d'une société civile ne peut pas être simple. D'abord, il ne suffit pas qu'il y ait érosion de l'État pour qu'elle se mette en branle. Ensuite, un renouveau de la société civile peut se révéler aussi dangereux qu'émancipateur : les fondamentalismes ne sont pas des dangers mineurs. Finalement, il ne peut qu'y avoir tension entre la démocratie construite sur les droits individuels et les solidarités

---

20. B. Lévesque, « L'institutionnalisation et le financement des services de proximité au Québec », *Coopératives et développement*, vol. 26, n⁰ 2, 1994-1995, p. 83-104.

communautaires proposées par la société civile[21]. Donc, au moment de spéculer sur les formes de gouvernance de la socioéconomie québécoise de demain et sur le rôle renouvelé que devra y jouer la société civile post-traditionnelle, il semble important de ne pas sous-estimer les défis que pose ce chantier.

Individu modulaire

Nous l'avons souligné, la socioéconomie québécoise a brisé ses points d'ancrage dans la communauté traditionnelle, la famille, la religion. Ce qui faisait la puissance de la société tradition-nelle, c'est justement cette superposition d'appartenances qui se conjuguaient pour cristalliser une identité forte. La société spectrale entraîne une sorte de modularisation de l'individu[22]. Celui-ci a de multiples identités partielles qui sont autant d'interfaces possibles avec le reste du monde, où il s'engagera par morceaux, pour autant qu'il soit capable d'effectuer le tri nécessaire et de traiter chaque problème séparément.

La société québécoise semble avoir réagi fort bien à ce genre de défi. Il y a eu d'abord la floraison d'une «pluralité de modèles de vie» selon l'âge, la classe sociale, le type de ménage, le revenu et la présence ou non d'enfants. Cette variété de situations a engendré une variété tout aussi grande de comportements: on a même parlé d'une «individualisation de la vie quotidienne[23]». Le Québécois accepte fort bien de vivre ses identités partielles. Ensuite, il y a eu une importante croissance de la vie associative sous toutes ces formes[24], mais cela ne se fait pas aussi facilement qu'ailleurs. C'est que, comme le notait Jacques T. Godbout, il existe au Québec une

---

21. A. Giddens, «Post-Traditional Civil Society and the Radical Center», *New Perspectives Quarterly*, vol. 15, nº 2, 1998, p. 14-20; G. Paquet, «André Laurendeau et la démocratie des communautés», *Cahiers d'histoire du Québec au XXᵉ siècle* (à paraître).

22. E. Gellner, *op. cit.*, p. 97 et suiv.

23. S. Langlois, «Culture et rapports sociaux: trente ans de change-ments», *Argus*, vol. 21, nº 3, 1992, p. 4-10.

24. Y. Leclerc *et al.*, *Un Québec solidaire*, Boucherville, Gaëtan Morin, 1992.

espèce de nécessité de ne rien devoir à personne qui paralyse la solidarité [25].

Certes, le secteur associatif québécois n'est pas insignifiant (près de cent mille associations dont plus de vingt-cinq mille à propos desquelles on a certaines informations), mais associaion ne veut pas dire communautaire. Beaucoup de ces groupes sont essentiellement des permanents offrant des services à des usagers, et ils peuvent fort bien ne pas contribuer de manière significative à la construction de la nouvelle socialité. En un sens, les résultats de l'ethnographie ne contredisent pas ces compilations statistiques, mais en modulent le sens. Comme le propose Andrée Fortin, l'effervescence communautaire que suggère la croissance du nombre des associations au Québec entre les années soixante-dix et les années quatre-vingt-dix ne signifie pas nécessairement qu'il y a « mobilisation communautaire », mais on ne peut pas non plus parler — comme certains l'ont avancé — de « désintérêt, de désaffection postmoderne [26] ».

Relations limitées mais parfois additives

Les trois quarts des associations québécoises en 1990 œuvrent dans le domaine de la vie communautaire, misent sur « le plaisir d'être ensemble [27] ». On a donc souvent une stratégie associative à saveur instrumentale axée sur les seules gratifications individuelles et personnelles. Mais les travaux sur le terrain indiquent que les « sociabilités choisies » que sont les associations constituent des renforcements de l'identité commune, des bases pour la construction d'identités nouvelles, une ouverture sur la communauté.

Ces relations limitées sont parfois additives et peuvent créer une ouverture sur la communauté. Mais on est loin de pouvoir dire que tel est effectivement le cas. La vieille culture de solidarité qu'on retrouvait dans le Québec traditionnel ne s'est pas transformée en civisme actif. Le phénomène associatif

---

25. J. T. Godbout, *L'esprit du don*, Montréal, Boréal, 1992, p. 17.

26. A. Fortin, « Solidarités invisibles et prise en charge de la communauté par elle-même », *Service social*, vol. 41, n° 1, 1992, p. 7-28.

27. *Ibid.*, p. 8.

peut se traduire en un individualisme de groupe — une recherche d'objectifs personnels égoïstes dans la participation au groupe. On peut donc assister en même temps à une érosion du capital social et à une augmentation du nombre des associations.

Mais un rajeunissement civique n'est pas impossible. Bien des pays où l'individualisme est la logique dominante, et où la socioéconomie est vagabonde, ont accompli ce tour de force. Et ce que le mouvement associatif québécois a révélé, ce sont des axes qui peuvent être porteurs. Les onze catégories d'associations proposées par Langlois — sportives, religieuses, politiques, sociales-communautaires, de loisirs socioculturels, d'affaires, de promotion d'intérêts, d'action sociale, linguistiques-nationales, de parents-étudiants, de propriétaires-locataires — sont hétéroclites, mais nombre d'entre elles mobilisent les mêmes personnes et chacune constitue une fenêtre potentielle sur la communauté[28]. Le malheur est que souvent ces groupements ferment à l'inverse le groupe sur lui-même. Dans les cas extrêmes, on a même vu des « groupes identitaires[29] » pour qui l'attention exclusive à ce qui est à la base du groupe en arrive à bloquer le dialogue avec le reste de la communauté.

Quels sont les chantiers sur lesquels on peut bâtir le plus de relations additives ? Certains pensent que le lieu de travail et l'école pourraient devenir ces espaces de socialité et fonder les nouvelles formes d'engagement civique[30].

Les leviers du renouveau communautaire

Le renouveau communautaire passe par une reconfiguration de la production de la solidarité. Pour certains, le micro-social aurait pris le relais des solidarités bâties sur les mouvements

---

28. S. Langlois *et al.*, *La société québécoise en tendances, 1960-1990*, Québec, IQRC, 1990, p. 105-106.

29. M. J. Piore, *Beyond Individualism*, Cambridge, Harvard University Press, 1995.

30. C. Handy, *The Hungry Spirit*, New York, Broadway Books, 1998 ; A. Wolfe, « Can the Workplace Replace Bowling ? », *The Responsive Community*, vol. 8, n° 2, 1998, p. 41-47.

sociaux traditionnels. Pour ceux-là, la solidarité n'a pas disparu ou périclité, elle a seulement changé de forme ou de style[31]. On en veut pour preuve la croissance des organisations et associations communautaires. Nous sommes, nous l'avons dit, moins certain qu'il n'y a pas eu déperdition au cours de cette transsubstantiation de la solidarité. Il nous semble donc qu'il y a nécessité d'intervention pour redonner des forces à cette solidarité, pour revigorer l'esprit du don dans des formes nouvelles.

Les mécanismes de production de solidarité font meilleur usage des ressources interpersonnelles[32] et débordent le *quid pro quo* de l'échange marchand — l'échange relationnel[33] —, et ces deux éléments (ressources interpersonnelles et échange relationnel) vont se combiner pour stimuler l'investissement dans la consolidation de transactions entre agents qui se connaissent bien mutuellement, parce que ce genre de spécialisation induit d'importants rendements croissants[34].

Ce genre de ressources interpersonnelles (moins tangibles et plus particularistes comme le statut ou l'amour) donnent lieu à des échanges complexes qui débordent le simple échange anonyme sur le marché et ont tendance à s'approfondir, à durer, à devenir des relations qui se superposent dans toutes sortes de dimensions et se renforcent d'autant, des relations multiplexes. Voilà qui donne lieu à des échanges relationnels qui s'enracinent dans l'identité de chacun, qui renforcent celle-ci et qui sont marqués au coin de la loyauté. Ces relations entraînent des rendements croissants importants en raison du triple effet des gains de l'échange usuel, des gains de l'échange personnalisé, et de l'effet de synergie de ces deux premiers effets.

Cette construction de la nouvelle socialité correspond, dans le monde de la société civile, à des opérations qui ont des

---

31. S. Rivest, « La fin des solidarités sociales ? », *Cahiers de recherche sociologique*, vol. 21, 1993, p. 179-183.

32. U. Foa, art. cité.

33. V. P. Goldberg, « Relational Exchange : Economic and Complex Contracts », *American Behavioral Scientist*, vol. 23, 1980, p. 337-352.

34. Y. Ben-Porath, « The F-Connection : Families, Friends and Firms and the Organization of Exchange », *Population and Development Review*, vol. 6, n° 1, 1980, p. 1-30.

équivalents dans le monde économique et politique. Dans ces trois domaines, la mise en place de pratiques nouvelles dépend des mêmes habiletés, des mêmes capacités de recadrage[35].

Ces mécanismes opèrent dans un monde caractérisé par une certaine identité. C'est dans ce sens-là qu'on parle du monde de la médecine, du monde des affaires ou du monde scientifique. Ces mondes, ou ensembles d'activités pratiques, sont coordonnés et organisés selon un style qui leur donne leur unité et assure la continuité d'une situation à l'autre.

Les disharmonies entre le style du monde en question et certaines pratiques sur le terrain sont une sorte de déclic. Si ces disharmonies portent à conséquence — comme c'est le cas quand on se rend compte que le capital social s'érode et menace notre potentiel de prospérité —, il devient possible de faire usage de trois types de mécanismes pour effectuer le changement de style qui s'impose : des actes d'*articulation ou de mise en visibilité* de certaines réalités mal comprises ou occultées, des actes d'*appropriation de pratiques dans un autre champ* pour les utiliser comme stratégies en réponse aux défis auxquels on fait face, et des actes de *reconfiguration* qui changent directement le style du monde en question[36].

C'est dans ce registre que peut jouer le mieux le travail des entrepreneurs en changement social qui *trouvent les mots justes* pour articuler ces préoccupations communes, qui *empruntent certaines pratiques* économiques et politiques exogènes ou exotiques dans cet effort pour revigorer la société civile, et qui trouvent des moyens de reconfigurer le style du monde social en *transformant les institutions*.

Au Québec, on a déjà commencé à utiliser ces leviers de manière astucieuse. Par exemple, le discours de l'économie sociale a beaucoup fait pour convaincre les citoyens que la société civile et la solidarité avaient des retombées économiques significatives et pouvaient détenir la clé à la fois de la prospérité et de la lutte à l'exclusion. De la même manière, la

---

35. C. Spinosa, F. Flores et H. L. Dreyfus les ont explorées dans *Disclosing New Worlds*, Cambridge, MIT Press, 1997.

36. Selon les mêmes auteurs.

reformulation des droits de la personne dans un langage de droits de propriété a eu l'heur de bien insérer ces préoccupations de la société civile dans le discours économiste dominant[37]. Enfin, les politiques de soutien au développement local et régional ont directement transformé la gouvernance dans le sens de la subsidiarité[38].

Pour baliser l'espace des possibles, nous retenons deux grandes variables qui, combinées, donnent quatre scénarios. La première variable est la croissance économique qui peut être forte ou faible; la seconde est le développement social qui peut aussi être effervescent ou anémié. Pour caractériser ces scénarios, nous empruntons une idée à Mercier et à ses collaborateurs, qui donnent aux quatre combinaisons le nom de quatre vents que déjà les Grecs honoraient pour tenter de les amadouer: Borée, le vent du nord, c'est la croissance économique faible et le développement social anémié; Notos, le vent du sud, c'est la croissance économique forte mais le développement social anémié; Euros, le vent du sud-ouest, c'est la croissance économique faible et le développement social effervescent; Zéphyr, c'est le doux vent qui correspond à la croissance économique forte et au développement social effervescent.

Pour évaluer ces scénarios (dans leur analyse qui porte strictement sur l'impact des nouvelles technologies), les auteurs proposent six questions qui ouvrent sur un éventail de possibles entre deux grands pôles: dominance du marchand ou du non-marchand, de l'égalité ou de l'inégalité, de la centralisation ou de la décentralisation, de la dépendance ou de l'autonomie, de la sécurité ou du risque, de la différenciation ou de l'homogénéisation[39].

Ces critères ne sont pas les seuls possibles. Ils ne sont pas forcément les meilleurs non plus. Ils aident cependant à définir les diverses figures de l'avenir et suggèrent à la fois des patterns

---

37. C. B. Macpherson, *The Rise and Fall of Economic Justice*, New York, Oxford University Press, 1985.

38. G. Chevrette, *Politique de soutien au développement local et régional*, Québec, Les publications du Québec, 1997.

39. P. A. Mercier *et al.*, *La société digitale*, Paris, Seuil, 1984, p. 117-125.

de gouvernance fort différents et des défis particuliers pour ceux qui voudraient changer l'ordre institutionnel de manière à réorienter l'évolution dans une direction ou l'autre par le truchement de l'un ou l'autre des mécanismes mentionnés.

Le *scénario Borée* est évidemment le plus noir. C'est celui de Gary Caldwell[40]. On y voit le Québec vivre une période de croissance économique lente et un développement social compromis. Pour Caldwell, il y a eu progrès continu jusqu'à l'orée des années quatre-vingt, puis stagnation sur les deux fronts dans les années qui ont suivi, et déclin net depuis le milieu des années quatre-vingt-dix. Ce scénario est celui du Québec postmoderne où les doubles coups de boutoir de la technocratie étatique et du néolibéralisme ont battu la socialité québécoise en brèche. C'est un scénario de marchandisation, d'homogénéisation, de centralisation, de dépendance et d'inégalités pour les citoyens. On ne pourra espérer s'en sortir que grâce à une révolution dans les esprits qui requerrait un entreprenariat social extrêmement robuste. Or, c'est peu probable, tout au moins jusqu'à ce que les choses s'aggravent au point de donner naissance à une situation qui soit l'équivalent sociologique d'une guerre — une situation qui rend de nouveau possible la prise de grands risques et le dépassement de ce qui ressemble beaucoup, pour le moment, aux conditions du radeau de la Méduse[41].

Le *scénario Notos* est celui d'un Québec qui reprendrait un sentier de croissance économique rapide mais qui continuerait à souffrir d'un développement social anémié. C'est le scénario triomphant de ceux qui ont promis que la libéralisation des marchés allait relancer la croissance économique et, ce faisant, réparer les déchirures du tissu social. Cet optimisme est celui de Bernard Landry[42]. Ce scénario d'un Québec qui arriverait à une socialité nouvelle par le chemin d'une nouvelle vigueur

40. G. Caldwell, art. cité, et «Notre liberté civile menacée!», *L'Agora*, vol. 5, n° 3, 1998, p. 33-35.
41. Comme le suggèrent P. A. Mercier *et al.*, *op. cit.*
42. B. Landry, *Commerce sans frontières*, Montréal, Québec/Amérique, 1987.

économique est bien optimiste. C'est un scénario de marchandisation, d'inégalités et d'exclusion accrues, de centralisation, d'homogénéisation. La société est moins éclatée, en un certain sens, puisque la croissance achète un certain consensus social, mais elle reste fondamentalement fracturée. De plus, c'est une société à haut risque qui continue à vivre l'érosion lente de l'État-providence et limite considérablement la possibilité de recadrer les débats puisque l'inquiétude économique a disparu.

Le *scénario Euros* est celui de la stagnation économique accompagnée d'une effervescence du développement social. C'est le scénario de l'économie sociale. Dans cet univers, il y a reconstitution des réseaux de solidarité et accroissement important du secteur non marchand, renouveau des cultures locales, mais aussi le risque de nouveaux assujettissements à toutes sortes de lois tribales à proportion que l'effervescence des pratiques nouvelles dans les marges de la société, et la recherche de sécurité collective qu'elles impliquent, favorise les tendances à l'autonomie en même temps qu'elle renforce la tendance au recours systématique à l'État. Ce scénario nage dans l'ambivalence. C'est celui d'un Québec qui se ressourcerait à l'occasion d'une crise économique profonde et qui chercherait, à la fois dans le renouveau du communautaire et dans le renouvellement des institutions étatiques, à réaliser un monde plus égalitaire, marqué par plus de sécurité, mais avec des tendances contraires se disputant le terrain, centralisation-décentralisation, autonomie-dépendance, homogénéisation-différenciation. C'est un monde où marché, État et société civile acceptent de se diviser le travail. Mais la pression pour transformer les institutions étatiques et créer un État assuranciel peut fort bien dégénérer en débats acerbes et en fractures sociales nouvelles dans cette société à hauts risques : l'antagonisme vis-à-vis des groupes protégés dans ce genre de monde fait qu'on peut se permettre tout au plus la protection contre les risques les plus destructeurs et les inégalités les moins acceptables [43].

---

43. G. Paquet, « Reinventing Governance », *Opinion Canada*, vol. 2, nº 2, 1994, p. 1-5 ; M. Mandel, *The High-Risk Society*, New York, Random House, 1996.

Le *scénario Zéphyr* est celui de la croissance économique et de l'effervescence du développement social. C'est l'embarquement pour Cythère. Tout redevient possible. Une telle situation présente à la fois les plus belles opportunités mais aussi les plus forts risques. Car il n'est pas certain que croissance économique, démocratie politique et cohésion sociale fassent bon ménage. On peut facilement imaginer la renaissance des mêmes excès qui ont marqué la fin de l'ancien règne : présence trop grande d'un État qui en a les moyens, guerres fratricides entre régions, zizanie permanente dans les rapports entre gouvernement, entreprises, société civile, etc. Les tendances contradictoires du scénario Euros pouvaient se résoudre de manière efficace à cause du manque de moyens. Ici, on est dans un monde où les changements les plus importants et les plus imprévisibles se réaliseraient. Un ordre institutionnel absolument transformé pourrait bien en sortir, mais il est peu probable que l'effervescence communautaire perdure. Il est à craindre que l'État ne fasse un retour en force, et avec lui la centralisation, l'homogénéisation, etc.

Quel scénario est le plus vraisemblable ? Bien malin celui qui le dira. Il reste cependant que certains sont moins réalistes que d'autres. Ainsi, il est bien improbable qu'il y ait retour à la croissance économique rapide et à un rythme de croissance de la productivité qui fasse de l'économie québécoise un organisme en croissance, développement et apprentissage rapides au cours des prochaines années. Aussi faut-il considérer Notos et Zéphyr comme moins probables que les deux autres.

D'autre part, malgré les constats sévères et réalistes de Caldwell, et l'idéalisme inspirant des tenants de l'économie sociale, il est plus facile de faire l'accord sur une combinaison de Borée et d'Euros : avec la possibilité d'un virage dans la direction des vents qui pourrait devenir franc Nord (si l'économie sociale s'essoufflait) ou franc Sud-Ouest (s'il y avait un vaste effort pour repenser l'ordre institutionnel et l'émergence d'un nouveau capital social robuste autour de nouveaux concepts de citoyenneté, d'égalité-inégalité, ainsi qu'une reconfiguration de l'*ethos*, des croyances et des valeurs, mais aussi de la gouvernance du Québec). Or, même s'il n'existe encore aucune épure ou aucun plan bien arrêté pour le rajeunissement de la société civile québécoise, on sent bien sourdre de partout des initiatives qui devraient transformer la socialité québécoise.

Vers une société décente

La résultante de ces forces Nord-Sud-Ouest est au mieux l'émergence d'une société décente. En effet, les initiatives de l'économie sociale, mais aussi celles qui ont fleuri sur le grand fond de solidarité qui demeure bien vivant au Québec, ont surtout été des réactions à des faillites de l'ordre institutionnel en place à produire les conditions d'une telle société[44]. Dans les mots de Margalit, une société décente en est une où les institutions n'humilient pas les gens. Quand il y a eu des humiliations engendrées par les institutions, on a été amené à construire des correctifs ou à proposer des solutions de rechange susceptibles de les éliminer ou de les atténuer.

Ces humiliations ont eu lieu dans les trois zones (marché, État, société civile), mais il n'y a pas beaucoup de possibilités de correctif dans les deux premières. Le marché n'a aucune ambition si ce n'est l'efficacité: il ne reconnaît même pas l'existence des humiliations. Et l'État, malgré ses credo et ses sermons, est à la merci d'une technocratie dont l'imputabilité est assez faible. C'est donc dans la société civile que se construisent les correctifs. C'est le lieu des substituts au marché et des antidotes aux mécanismes technocratiques d'État.

Mais dans l'un et dans l'autre cas, il ne peut pas s'agir de mécanismes pleinement compensatoires. Tout au plus, ils ne font que corriger les impairs inacceptables, assurer une société décente et non pas une société égalitaire[45]. À proportion que

---

44. A. Margalit, *The Decent Society*, Cambridge, Harvard University Press, 1996.

45. G. Paquet, «Slouching Toward a New Governance», *Optimum*, vol. 27, n° 3, 1997, p. 44-50.

les groupes se décuplent, que les identités partielles se multiplient, que les communautés virtuelles prolifèrent, le renouveau communautaire prend racine. Mais il ne semble pas possible d'assurer la coordination complète entre ces divers groupes. On est donc condamné à une gouvernance imparfaite, à l'émergence de compromis plus ou moins réussis entre ces diverses forces.

Tant que les impairs sont assez importants pour stimuler des correctifs, l'évolution de l'ordre institutionnel tend à dériver dans le sens de la société décente. Mais il y a blocages, empêchements, inerties, manques d'un entreprenariat capable de fournir les réarticulations, les emprunts organisationnels, ou les recadrages nécessaires. Donc le style reste inadéquat. On ne peut pas espérer autre chose que des tâtonnements dans cette dérive vers la société décente.

Au Québec, cette dérive s'est faite avec des discontinuités et des lenteurs d'ajustement. C'est que la cristallisation des nouveaux mécanismes de gouvernance ne se réalise pas vivement et parfaitement. C'est seulement par le jeux des scandales et impairs majeurs que s'enclenchent les correctifs. En conséquence, les ajustements se font mal et souvent à la suite de crises qui ne donnent pas nécessairement les signaux les plus utiles ou les enseignements les plus féconds. Il y a dérive continue cependant, et c'est l'accumulation de ces ajustements imparfaits qui assure l'évolution de l'ordre institutionnel.

CONCLUSION

Un pari sur la *philia*

Quand le collectif de *L'Agora* a cherché un mot neuf pour
définir le levier qui pourrait l'aider dans sa recherche de réponses inédites aux défis lancés par l'émergence d'une nouvelle
socialité, il s'est arrêté au mot *philia* — qui, chez Aristote,
désigne le lien amical entre les habitants d'une cité[1]. Ce
faisant, l'équipe soulignait une réalité importante : la nouvelle
socialité devra se construire en mobilisant les vastes ressources
interpersonnelles par le truchement d'un bon usage des vertus
mineures.

Tous ceux qui, au Québec et ailleurs, travaillent à ce vaste
chantier ont vite compris le besoin d'une stratégie à trois
volets. D'abord, il faut une vigilance de tous les instants pour
enrayer autant que possible l'action corrosive sur la société
civile de l'État centralisateur et homogénéisateur qui continue
encore à détruire le capital social en place. Ensuite, la communauté doit faire preuve de patience, d'un sens du compromis
— les deux vertus les moins politiquement correctes, comme
dirait Michel Rocard[2] — et d'une bonne dose de réalisme. On
ne peut pas reconstruire en quelques années ce qu'on a mis
des décennies à détruire, et on ne peut pas non plus espérer

---

1. *L'Agora*, « Dossier Philia », vol. 5, nº 2, 1998, p. 4-45.
2. M. Rocard, *Éthique et démocratie*, Genève, Labor et Fides, 1996.

pouvoir compter sur l'altruisme généralisé ou les vertus héroïques des membres de la communauté. Comme disait Montaigne, il faut compter avec l'hommerie. Ce lent processus, éclaté et moins que cohérent, devra tabler sur certaines vertus mineures, fondements minimaux sans lesquels le débat ne peut continuer, et la construction ne peut progresser. Enfin, pour catalyser le processus de construction d'une nouvelle socialité, il faut se donner un leadership transversal et subversif, capable de faire bon usage à la fois des crises, des interstices dans les appareils d'État et des hiatus temporaires dans leurs opérations. C'est souvent dans ces moments où l'anormal prévaut qu'on peut mettre en place de nouvelles institutions civiques, que peuvent s'enclencher des transformations importantes de l'ordre institutionnel.

Ces trois ensembles d'actions ne garantissent pas qu'on réussira à revivifier la société civile et à lui redonner un rôle central dans la gouvernance, mais ils constituent un pari raisonnable sur la *philia*.

Vigilance face au projet homogénéisateur

Il ne faudrait pas croire que les effets dévastateurs de l'étatisme triomphant de la Révolution tranquille sur la société civile québécoise ont été le fait d'une vague qui aurait frappé seulement le Québec et qui aurait terminé de faire ses ravages. Il existe tant au Canada qu'aux États-Unis un effort permanent des gouvernements fédéraux pour utiliser leurs pouvoirs et interpréter la Constitution de façon à créer une seule communauté nationale (avec des valeurs communes et la même interprétation de la façon dont les communautés devraient être organisées). Ce projet, ancré dans un ensemble de droits individuels, définis et policés par le gouvernement fédéral, est profondément antidémocratique et anticommunautarien [3].

---

3. G. Paquet, « Gouvernance distribuée et habitus centralisateur », *Mémoires de la Société royale du Canada*, sixième série, tome VI, 1995, p. 93-107 ; S. L. Carter, *The Dissent of the Governed*, Cambridge, Harvard University Press, 1998, p. 19-20.

Il s'agit d'un projet construit sur deux postulats : d'abord que le gouvernement central « est mieux placé que n'importe quel autre acteur pour trouver les bonnes réponses » et que « l'instance politique la plus haut placée prendra le plus souvent de meilleures décisions que la famille ou la communauté » ; ensuite, que les vues des citoyens sont nulles et non avenues sauf quand elles tendent à étayer la position du fédéral — elles deviennent alors cruciales [4].

Ce mythe du projet homogénéisateur comme principe d'intégration est toujours vivant. Tant au Canada qu'aux États-Unis, il dépossède les communautés géographiques, mais aussi sociales, religieuses, etc., de leur capacité à résister aux décrets nationaux. Chez nos voisins, les groupes religieux en particulier résistent fermement. Ici, il semble que la vigilance ne soit pas grande, ce qui accroît le danger d'une érosion encore plus importante du capital social.

Récemment, Gary Caldwell a dénoncé l'alliance de l'État provincial, de l'État fédéral et de la technocratie québécoise du monde de l'éducation (ministère et centrales syndicales) pour abroger l'application de l'article 93 de la constitution de 1867. Les conséquences sont qu'une « population, qui s'identifie à 92 % comme chrétienne, va perdre ses droits acquis à des écoles publiques (ou semi-publiques) à caractère confessionnel », que « le monopole de l'appareil technocratique [...] sur l'éducation se trouvera renforcé », et que « la polarisation sociale de la population québécoise sera accentuée » par le fait que les écoles vraiment privées vont être réservées à une infime minorité de Québécois — sorte de solution à l'américaine [5].

La société civile québécoise est menacée mais personne ne proteste. C'eût été un moment propice pour les citoyens de s'opposer à ce travail continu d'érosion des libertés civiles par l'État et ses technocrates. Or, on a l'impression que personne ne veille au grain et que les États fédéral et provincial sont fondamentalement de connivence pour étouffer la société civile.

---

4. S. L. Carter, *op. cit.*, p. 20 et 35.
5. G. Caldwell, « Notre liberté civile menacée ! », *L'Agora*, vol. 5, nº 3, 1998, p. 34.

Tact et civilité

Mais contrer l'habitus centralisateur et homogénéisateur de l'État ne saurait suffire. Il faut aussi commencer à construire sur les ruines de la société civile en place et investir dans un capital social renouvelé: il faut que les citoyens actifs se fassent producteurs de gouvernance.

À la base de ce projet de renouvellement, il y a la politesse et la civilité[6]. Ce sont ces vertus qui assurent que la conversation continue, que la recherche de terrains d'entente et de visées communes reste en train, que les relations interpersonnelles restent fécondes. Sans elles, le multilogue cesse, la société civile s'effrite. Ce ne sont pas des qualités suffisantes pour assurer l'existence d'un capital social de confiance, mais elles sont nécessaires si on veut y arriver. Ce modeste commencement ne saurait évidemment suffire pour assurer l'avènement d'une nouvelle philosophie de l'action collective. Tact et civilité ne sont que l'équivalent prépolitique des manières de table: elles portent essentiellement sur les procédures, et on ne saurait s'en contenter. De même que la « république procédurale » avec ses règles du jeu neutres pour orchestrer les activités des citoyens entièrement libres ne peut signifier qu'une certaine oblitération de la communauté, le fait de s'en remettre à la seule civilité et politesse comme règles du jeu communautaire ne peut entraîner qu'une aseptisation de la société civile.

Pour plusieurs, c'est là un prix trop élevé à payer pour assurer le minimum de tolérance nécessaire pour le vivre-ensemble. D'autres sont prêts à s'en contenter et dénoncent tout effort pour aller plus loin, pour forger une citoyenneté plus forte, comme des manœuvres douteuses pour transformer les âmes et la nature humaine. Tel n'est pas notre avis. Comme le dit bien Michael Sandel, la république procédurale « ne peut assurer la

---

6. M. Kingwell, *A Civil Tongue*, University Park (Penn.), The Pennsylvania State University Press, 1995; A. Comte-Sponville, *Petit traité des grandes vertus*, Paris, PUF, 1995; S. L. Carter, *Civility*, New York, Basic Books, 1998; H. Laberge, « De l'importance de la politesse », *L'Agora*, vol. 5, n° 2, 1998, p. 13-14.

liberté qu'elle promet parce qu'elle ne peut inspirer l'engagement moral et civique que l'auto-gouvernement requiert[7] ». Nous n'avons donc pas le choix : il faut construire une philosophie de l'action collective.

Il y a évidemment danger de limiter les libertés individuelles dès qu'on mijote un projet mobilisateur. La droite donne aux efforts dans ce sens une saveur morale (famille, communauté, obligations mutuelles sont des contraintes à la liberté des individus qui lui semblent socialement rentables); la gauche pour sa part leur donne une saveur économique (égalité, développement communautaire sont aussi des contraintes à la liberté individuelle qui sont présentées comme socialement rentables). C'est un mélange de ces deux tendances qui définit un projet mobilisateur susceptible d'être porteur de la nouvelle socialité. Même si ce projet n'est encore défini que dans ses grandes lignes, la multitude d'initiatives en train de le préciser s'alimentent aux deux sources.

La construction d'une philosophie de l'action collective requiert un *ethos* et une identité. Mais *ethos* et identité impliquent un engagement civique : la pratique de vertus moins mineures que le tact et la civilité — c'est-à-dire fidélité, compassion, gratitude, justice, bonne foi, etc.[8] — qui ne peuvent s'enraciner que dans des institutions civiques qui aident à les cultiver.

De telles institutions ne sont pas susceptibles d'émerger, à moins que le citoyen ne soit amené à s'engager dans la production de la gouvernance sur tous les fronts où ses identités multiples l'entraînent. Ses identités et ses loyautés partielles ne l'empêchent aucunement de s'engager dans la production de tel ou tel aspect du projet mobilisateur. Le fait même que ce projet ne soit pas orchestré d'en haut et synchronisé par un metteur en scène peut donner l'impression de chaos. Mais ce n'est pas différent de ce qui se produit sur le marché par le

---

7. M. J. Sandel, *Democracy's Discontents*, Cambridge, Harvard University Press, 1996, p. 323.
8. A. Comte-Sponville, *op. cit.*

jeu de la concurrence : rappelons-le, les institutions sont à la société ce que le marché est à l'économie.

Le tact et la civilité permettent le dialogue, soutiennent la conversation, encouragent les réinterprétations du passé et le développement d'utopies qui constituent le bagage nécessaire pour que le citoyen enraciné et situé soit en mesure ou bien d'accepter le style de son monde et d'en faire bon usage, ou bien de commencer à prendre des mesures pour le transformer.

Voilà pourquoi le cosmopolitisme est si déficient : les humains, dira Sandel, sont des « êtres de récits qui ne peuvent que se rebeller contre l'absence d'histoires communes[9] ». Les multiples points d'ancrage que se donnent les Québécois, et les sources diverses d'où ils tirent leurs « histoires communes », ne garantissent pas qu'ils pourront se construire une nouvelle socialité autre qu'imparfaite, mais toutes ces démarches éclatées en sont le chantier.

Mise en visibilité de la société civile plurielle

La multiplicité de ces « histoires communes », racontées ou inventées, a pu laisser l'impression qu'il était impossible de les fédérer en un discours cohérent qui structurerait la nouvelle philosophie d'action collective. Mais cette impression pessimiste vient surtout du fait qu'on n'a pas réussi à faire prendre conscience au citoyen qu'il était, dans ses divers espaces, un producteur de gouvernance, et que ses actions éclatées au fil de ses rôles divers étaient son seul moyen de contribuer à la construction de la société civile.

Or, non seulement la complexité naturelle de la société civile et la difficulté d'en prévoir l'intégration syncrétique ne sont pas bien comprises, mais l'existence même de cette société civile est encore remise en doute par les définisseurs de situation. À une assemblée annuelle récente des cadres de la fonction publique fédérale, deux invités de marque (le vice-président d'une grande banque et l'associé senior d'une grande

---

9. M. J. Sandel, *op. cit.*, p. 351.

boîte de consultants) ont semblé estomaqués quand on leur a demandé quel devrait être le rôle de la société civile dans la nouvelle gouvernance au Canada et au Québec : le second a simplement affirmé que la société civile et le soi-disant « troisième secteur » étaient simplement une collection de groupes d'intérêts et de lobbyistes financés par le gouvernement, alors que le premier déclarait sans ambages qu'il ne savait pas du tout ce que signifiait ces expressions de « société civile » ou de « troisième secteur » !

Il faut donc faire beaucoup plus pour mettre en évidence la société civile, pour bien expliquer ce qu'elle est, et montrer à quel point les citoyens y sont de mille et une façons engagés. On s'apercevra rapidement qu'on ne se livre pas aux mêmes activités à Montréal et en région, qu'elles varient beaucoup selon la distance et la nature du lieu de travail, que les communautés sont parfois franchement virtuelles, que les leaders civiques (peu importe le milieu : scolaire, hospitalier, des loisirs, de l'entraide, etc.) représentent tous les groupes sociaux, et que la valeur ajoutée au produit national par ce genre d'activités (bien que ce soit une façon bien primitive de les mesurer) est incroyablement plus importante qu'on pourrait le croire.

Il faut aussi répertorier ces expériences dans toute leur variété pour bien faire comprendre au reste de la population de manière extrêmement concrète de quoi il s'agit. C'est un travail auquel s'est attaché le Conseil des affaires sociales depuis dix ans. Évidemment, le danger de ce genre d'ethnographie du troisième secteur est qu'on est tenté de trop mettre l'accent sur les expériences originales. Mais seule une documentation systématique du caractère pluriel des interventions et des façons diverses pour les différentes communautés de s'attaquer à certains problèmes aura dans la communauté l'effet de cohésion sociale recherché, nourrira la conviction qu'il est non seulement pensable mais également possible pour les communautés de se prendre en main. Un examen des diverses associations qui fourmillent au niveau du sol permet de voir comment elles ont contribué à définir des besoins nouveaux et à trouver des moyens d'y répondre de manière inédite. La mise au jour et l'analyse de ces expériences fournissent des indications utiles sur les conditions de base ou le type de gouvernance susceptibles de donner naissance à des projets gagnants.

De tels renseignements ont été compilés [10], mais n'ont eu que peu d'échos dans la population en général, et n'ont donc pas contribué à éduquer les citoyens sur l'importance de la société civile et sur leur propre rôle dans la production de la gouvernance. C'est que dresser l'inventaire des projets ne suffit pas. Ce qu'il faut surtout, c'est montrer comment les communautés ont réussi à se prendre en main de toutes sortes de manières afin que cela devienne un véritable modèle d'organisation de rechange. Le message central qui doit réussir à percer est celui de l'importance de la société civile dans la gouvernance, et des raisons pour lesquelles une société civile anémiée se traduit par une performance économique diminuée.

Célébrer l'entreprenariat civique

Il faut non seulement mettre en évidence les projets gagnants mais aussi et surtout souligner le travail des leaders civiques qui ont réussi à redéfinir les problèmes et à inventer des manières de les régler. Aux États-Unis, Martin Luther King est célébré comme un de ces entrepreneurs civiques qui ont changé le visage de la société américaine. Et cela est une vérité qui s'est maintenant imposée à tous les jeunes Américains.

Au Québec, qui, dans le grand public, connaît le travail remarquable de Jacques Grand'Maison ? De manière générale, qui sait ce que fait le président de la chambre de commerce ? Qui a mesuré l'importance des leaders locaux célébrés par Raymonde Létourneau dans son film *Les désoccupés* ? Qui comprend le rôle central des organisations comme les Alcooliques Anonymes ? Quand a-t-on expliqué la dernière fois le rôle de Greenpeace ? Et les médias sont tout aussi aveugles que le reste

---

10. Y. Leclerc *et al.*, *Un Québec solidaire*, Boucherville, Gaëtan Morin, 1992 ; L. Favreau et B. Lévesque, *Développement économique communautaire, économie sociale et intervention*, Sillery, Presses de l'université du Québec, 1996.

des citoyens. Ne reconnaissant aucunement ces entrepreneurs civiques, on n'a pas pris le temps d'analyser leurs travaux ni de montrer quelle sorte de soutien leur est nécessaire pour qu'ils puissent jouer pleinement leur rôle.

On a commencé à faire ce travail aux États-Unis [11], encore que ce soit de manière un peu limitée. Chez nous, tout ce pan du système est encore largement ignoré. On s'est parfois posé la question de l'entreprenariat de l'entreprenariat dans le monde des affaires [12], mais on n'a pas encore pensé à appliquer ce genre de raisonnement à la société civile. Et pourtant, ainsi qu'on l'a mentionné, ce sont les mêmes mécanismes qui jouent dans l'économie, la société et la politique quand on explore les processus d'innovation.

Cette ignorance n'est pas innocente: elle est le pendant du déni des effets délétères de la Révolution tranquille sur le substrat social. Les mêmes blocages qui empêchent de voir l'érosion de la société civile par la Révolution tranquille expliquent qu'on refuse de réfléchir sur les mécanismes à mettre en place pour corriger cet état de choses, stimuler le capital social et raffermir la société civile. Puisque le problème n'existe pas, il n'est pas difficile de comprendre qu'on consacre peu de temps à en chercher la solution.

Si notre hypothèse est fondée, le défi qu'elle nous permet de définir est le plus important auquel devra faire face le Québec au cours des prochaines années. Si, comme certains l'ont suggéré, une société civile robuste sera, dans l'avenir encore plus que par le passé, un ingrédient capital pour la prospérité économique aussi bien que pour la démocratie, et si, comme d'autres le croient, le Québec part avec un peu de retard dans ce domaine, la négligence que nous constatons aujourd'hui pourrait bien, aux yeux des historiens du futur, ressembler à un crime.

---

11. D. Henton, J. Melville et K. Walesh, *Grassroots Leaders for a New Economy*, San Francisco, Jossey-Bass, 1997.

12. W. Errens et G. Paquet, « L'entrepreneuriat de l'entrepreneuriat », *Revue de gestion des petites et moyennes organisations*, vol. 5, nº 2, 1990, p. 55-61.

To scheme virtuously

Dans son cours sur la logique et la technique de l'action, à la faculté des sciences sociales de l'université Laval dans les années cinquante, Georges-Henri Lévesque avait l'habitude d'insister sur la nature stratégique de l'action efficace et de dire clairement qu'il se proposait d'enseigner à ses élèves «how to scheme virtuously».

Au moment de conclure, il convient de se rappeler que si l'on ne peut s'attendre à l'aide de l'État dans la revitalisation de la société civile, on peut compter sur les crises qui déconcertent les appareils d'État, sur les guerres bureaucratiques qui les paralysent, et sur la possibilité d'en faire bon usage. Mais une philosophie de l'action collective n'émanera pas de nos seules réactions aux catastrophes. Il faut surtout légitimer la discussion critique de l'ordre institutionnel, les interventions destinées à mettre des bémols et des dièses à la grande partition gouvernementale, et l'entreprenariat social qui tente de faire flèche de tout bois dans le développement de pratiques différentes.

La tempête de verglas de 1998 a donné lieu à une manifestation massive d'entraide, mais elle a aussi été l'occasion d'un appel important du premier ministre Lucien Bouchard à la télévision: son appel aux citoyens leur demandant de s'inquiéter du sort de leurs voisins, les incitant à aller frapper à leur porte pour bien s'assurer qu'ils n'avaient besoin de rien. Certains ont vu dans cet appel la pleine mesure du délabrement de la société civile québécoise; d'autres y ont vu un moment privilégié où l'État a dû s'en remettre à la société civile pour accomplir des tâches au-dessus de ses moyens, l'occasion donc d'insister sur l'importance d'un capital social fort. Il n'est pas inutile de souligner que ce sont les communautés les mieux équipées en capital social (associations, scouts, vie communautaire effervescente, etc.) qui s'en sont le mieux tirées.

La réaction aux visées homogénéisatrices des grands gouvernements a pris diverses formes de protêt et d'opposition. Et pour les grands gouvernements, désobéissance signifie déloyauté. Or c'est là une interprétation abusive. Spécialement dans un pays aussi bariolé que le Canada ou dans des régions aussi contrastées que les divers morceaux du Québec, une gouvernance centrée sur les citoyens ne peut se cristalliser que dans des institutions civiques fort différentes selon les lieux et les communautés.

Pour le moment, l'étendard autour duquel semblent se rallier les mécontents est la dévolution. Pourvu qu'on n'ait pas une trop grande fixation sur la seule dimension géographique, il s'agit là d'un gambit prometteur. Il légitimise un retour radical à la communauté, le *dissensus*, le refus des gouvernés de donner leur consentement, et leur détermination à mettre tout en œuvre pour construire une gouvernance selon leur esprit. Tant aux États-Unis qu'au Canada et au Québec, bon nombre d'observateurs raisonnables sont désormais prêts à donner sa chance à la dévolution, à remettre davantage le pouvoir entre les mains du peuple, et à soutenir tous les efforts formels et informels, orthodoxes et non orthodoxes, fondés sur les idées reçues ou subversives, pour y arriver.

Il existe déjà toute une littérature qui décrit les expériences réussies un peu partout et qui propose un arsenal de stratagèmes qui ont pu ou pourraient servir de déclencheurs dans le processus de recapitalisation sociale, des façons *to scheme virtuously*. Ce n'est pas ici le lieu pour faire un inventaire de ces expériences et il est évident que leurs stratégies ne sont pas nécessairement transplantables au Québec. Mais il n'est pas inutile d'y faire écho en raccourci parce qu'elles peuvent tout de même servir dans la mise sur pied d'actions locales qui sauraient s'en inspirer et les ajuster à notre esprit. Le fait que ces initiatives pour reconstruire un capital de confiance viennent des lieux les plus divers, de la droite comme de la gauche, et qu'elles ont leur source dans des réponses à des crises dans le secteur public, privé ou civique, prouve bien qu'il y a ici et ailleurs une soif de recapitalisation sociale.

Ces stratagèmes partent du postulat que non seulement l'intensité des rapports interpersonnels risque d'être plus faible que ce qu'elle était dans la famille ou la communauté traditionnelle, mais aussi que les lieux de rencontre et les moyens de communication seront différents dans la nouvelle socialité. Ainsi, l'importance nouvelle des lieux de rencontre de bricoleurs dans des points de distribution comme Réno-Dépôt a fait que certains ont suggéré des réaménagements des espaces publics pour en faire des forums. Dans le même esprit, comme les lieux de travail et l'école sont aussi des points de ralliement importants, on pourrait y ouvrir des aires qui favorisent le dialogue et les échanges. Un meilleur usage des télécommunications est aussi probablement au cœur de la nouvelle socialité qui ne pourra pas ne pas intégrer le cyberespace. D'autres stratagèmes plus ambitieux passent par un programme national de service communautaire sur le modèle du service militaire obligatoire et une modification profonde de la fiscalité pour revigorer un certain sens de la citoyenneté économique ancrée dans une communauté de partage entre générations. Dans le premier cas, les jeunes contribuent au mieux-être de la communauté et gagnent le droit à un soutien ultérieur de la part des aînés ; dans le second, la fiscalité est repensée pour fournir à chaque jeune personne arrivant à la majorité une allocation d'entrée dans la vie adulte, financée par une taxe sur la richesse de la génération des plus âgés, qui égalise un peu les chances au départ et en fait des *stakeholders*, des citoyens à part entière qui ont des intérêts dans le progrès de la société. En fait, cette citoyenneté économique basée sur la répartition *ex ante* de la propriété et des opportunités de création de richesse est considérée comme pouvant remplacer l'État-providence qui se contente de redistribuer la richesse *ex post*. Certains défendent l'idée d'une réforme du cadre juridique pour faciliter le développement des organisations civiques. D'autres enfin parient sur un meilleur usage des arts pour alimenter l'imagination créatrice et des rapports sociaux renouvelés.

Beaucoup de ces stratagèmes ont cependant souvent le malheur de vouloir résoudre le problème d'un coup et ne résistent pas à la tentation de demander aux gouvernements des programmes nationaux. Il doit être clair que nous ne croyons pas que ce soit là une stratégie adéquate. On ne peut reconstruire le capital social, le capital de confiance, que par morceaux, communauté par communauté, région par région. Chercher la panacée est ici une manie dangereuse parce qu'elle est condamnée à faire long feu et à nourrir un cynisme ambiant qui s'alimente justement aux échecs de projets trop ambitieux [13].

Il y a évidemment déjà beaucoup de créativité au niveau civique et communautaire qui monte des expériences locales dans tout le Québec, mais il n'est pas certain que cela suffira pour créer le mouvement de bascule. Il faut multiplier ces efforts et faire flèche de tout bois.

C'est de ces efforts « to scheme virtuously », c'est-à-dire sans tomber dans l'excès, qu'il faut espérer les plus importants coups de pouce. Et ils peuvent être de toute inspiration et naître n'importe où, dans votre quartier, dans votre communauté. Mon propos se termine donc sur une invitation à l'action.

---

13. On lira avec profit W. F. Buckley, Jr., *Gratitude: Reflections on What We Owe to Our Country*, New York, Random House, 1990; G. Mulgan, *Connexity: How to Live in a Connected World*, Boston, Harvard Business School Press, 1997; T. Govier, *Social Trust and Human Communities*, Montréal et Kingston, McGill-Queen's University Press, 1997; B. R. Barber, *A Place for Us: How to Make Society Civil and Democracy Strong*, New York, Hill & Wang, 1998; E. J. Dionne (dir.), *Community Works: The Revival of Civil Society in America*, Washington, D. C., The Brookings Institution, 1998; C. Thuderoz, V. Mangematin, D. Harrisson (dir.), *La confiance. Approches économiques et sociologiques*, Paris, Gaëtan Morin Europe, 1999; B. A. Ackerman et A. Alstott, *The Stakeholder Society*, New Haven, Yale University Press, 1999.

TABLE DES MATIÈRES

Achevé d'imprimer en avril 1999
sur les presses de AGMV-Marquis
Cap-Saint-Ignace, Québec